ЛЮДМИЛА ПЕТРУШЕВСКАЯ

ЛЮДМИЛА ПЕТРУШЕВСКАЯ

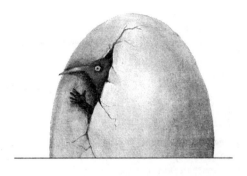

НАГАЙНА,
ИЛИ
ИЗМЕНЕННОЕ
ВРЕМЯ

Москва
2019

УДК 821.161.1-31
ББК 84(2Рос=Рус)6-44
П31

Художественное оформление *Алексея Дурасова*

В оформлении обложки использована репродукция картины
Александры Шадриной

Издание осуществлено при содействии
литературного агентства Banke, Goumen & Smirnova

Петрушевская, Людмила Стефановна.

П31   Нагайна, или Измененное время / Людмила Петрушевская. — Москва : Эксмо, 2019. — 416 с.

ISBN 978-5-04-101036-2

Книга Людмилы Петрушевской «Нагайна, или Измененное время» полна мистических сюжетов, тех явлений, когда душа соприкаса-
ется с вечным, до нас существовавшим и вдруг возникающим миром.
Однажды случилось, что Л.С. Петрушевская, единственный русско-
язычный автор, получила премию «World Fantasy Award» — всемир-
ную премию в области фантастики. Но никто из наших фантастов не
нашел этого писателя в списке «своих». Видимо, придется признать: у
нас существует совершенно другая область фэнтези — книга, которую
вы держите в руках.

УДК 821.161.1-31
ББК 84(2Рос=Рус)6-44

ISBN 978-5-04-101036-2

РАССКАЗЫ

Нагайна

ело происходило, как оно происходит всегда, вышли вместе из духоты зала, отыграла музыка, кончен бал.

Девушка явилась на этот бал как-то по-своему, она была здесь явно посторонняя и не объяснила факт своего появления ничем. Да ее никто и не спрашивал. Тот, с кем она вышла наружу, совершенно точно не собирался ни о чем спрашивать: девушка увязалась за ним, буквально привязалась. До того она прыгала в толпе как все, то есть изгибаясь, при этом ломала якобы руки, свешивала волосы как плакучая ива, все как у всех, только лицо было какое-то сияющее. Он обратил внимание на это сверкающее лицо в толпе остальных девушек, которые вели себя более-менее одинаково, как пьяные весталки на древней оргии, на какой-нибудь вакханалии, где под покровом тьмы единственной одеждой остается венок.

Правила на таких праздниках всегда одни и те же во все времена, серые самцы и яркие самочки, и эта особенная девушка тоже не была исключением, она приоделась в некое подобие переливающейся змеиной шкурки.

Но лица у всех оставались искаженными той или иной степенью страсти, а у этой сияло непосредственной радостью. Такое возникало впечатление, что остальные были равнодушными хозяйками на празднике, а эта пробралась с большими трудами, ей удалось, и она была счастлива.

Тот, кто вышел впереди нее, был спокоен, угрюм. Он и на этот осенний бал явился непонятно зачем, его тоска не требовала ни музыки, ни плясок. Он презрительно стоял у стены, пил. Не шевелился. Он тут был как бы мерило власти. Осуществлял эталон скучающего хозяина.

Девушка в змеиной шкурке остановилась рядом с ним, плечом к плечу, и тоже замерла, как будто обретя покой. И так и осталась стоять.

Хозяин своей судьбы на нее даже не поглядел. Она тоже на него не взглянула, только тихо сияла.

Зачем она ему была нужна, вот вопрос. Эта радость, бессмысленный свет, покорность, готовность.

Таких не берем! Он постарался всем своим видом выразить немедленно возникшее в ответ чувство протеста, высокомерно, как каждый преследуемый, повернулся и пошел вон.

Как только он стронулся с места, она, разумеется, потащилась следом. Он надел свое пальто, она — шубку.

Вышли в туман.

Серые ночные просторы открылись, массы холодного воздуха окружили, надавили, хлынули в лицо. Даже моросило.

Она шла рядом, поспевала, он двигался сам по себе, она при нем.

Он опять-таки всем своим видом выражал, что идет с целью вернуться домой, причем один. Ускорил шаг.

Она семенила за ним, буквально как собачка на прогулке, явно боясь потерять хозяина.

Вот кому такие нужны? Он мельком взглянул на нее. Мордочка хорошенькая, фигурка прекрасная, ножки длинные, все как надо. Но лицо! Сияет счастьем буквально. Как будто ее похвалили, причем она этого не ожидала и обрадовалась. И прилипла!

Он нехотя сказал:

— Ко мне нельзя.

Она молча бежала рядом, не меняя выражения лица. Восторженного причем!

— Ты поняла?

Она в припадке обожания молча кивнула.

— Так куда же ты потащилась?

Она схватила его за локоть и теперь шла как бы под ручку с ним.

Здрасьте!

Он специально пристально посмотрел на нее. Убрал локоть.

— Ты что?

Она со счастливым лицом бежала рядом.

— Я говорю, что ко мне нельзя!

Она наконец сказала:

— Ко мне тем более.

Голос низкий, грудной. Умный.

Никому не нужная поспешает неизвестно куда. В общаге дежурный ее не пропустит. А к тебе я и не собирался!

Он знал эту породу прилипчивых, любящих существ, этих маленьких осьминогов, готовых оплести и задушить. Они обвивали, не отставали, обнаруживали его в любом месте, преследовали, готовы были на всё. Что-то они все находили в бедном студенте. Звонили на пост к дежурным, устраивали засады в библиотеке, в столовой.

— Ну все, мне сюда, — сказал он и махнул рукой в сторону бокового проспекта.

Огромные серые ночные просторы, пронизанные сыплющимся повсюду туманом, кое-где освещенные блеклым сиянием фонарей, открывались по сторонам. Пустынные окраинные места! Окаянный холод, предвестник зимы. Редкие огоньки горели вдали в темных жилых массивах.

Разумеется, она повернула следом за ним.

Там, в тех сторонах, были новые общежития, городские выселки, вообще тьма. Там стояли еще не очень освоенные городские кварталы, там почти никто не жил, в той отдаленной глуши.

Он как бы пожал плечами, снимая с себя всякую ответственность (как она поплетется домой, когда ее завернут от дверей, в наших краях и такси не найдешь).

Он скривил свой мужественный рот.

Прилипала бежала рядом сияя. Лицо ее буквально сверкало во тьме.

— Зовут тебя как? — вдруг спросила она низким голосом.

— Анатолий, — пошутил он. На самом деле его звали иначе, но приходилось таиться. Мало ли бывало случаев, когда прилипалы находили его по имени.

— Ты учишься?

— Да.

— На каком?

— На географическом.

Он тут же придумывал себе легенду.

— На каком курсе?

— На пятом.

— Тогда непонятно, — вдруг сказала она.

— Что тебе непонятно?

— Все непонятно.

Его сердце забилось: вот оно, начинается преследование!

Она продолжала допрос, он продолжал придумывать.

Почему-то ему не приходило в голову просто промолчать.

Дело доехало до того, что он рассказал о своем дипломе (Индия, запрещенные к въезду штаты), о своем плане получить грант и поехать туда, в Нагаленд.

Это была не его жизнь, а отдаленные мечты. Когда-то у него была любовь с индуской Ирой, взрослой девушкой-нагайной из штата Нагаленд. У нее как раз был грант на изучение русского языка. Потом он закончился, и Ира уехала.

Голос его выдавал все новые и новые подробности жизни запретного штата — как там охотятся за черепами и выставляют их на частоколе вокруг хижины, как змеи ползут к коровам на вечернюю дойку и просят у женщин свою порцию, как свои змеи охраняют детей от чужих гадюк и охотников за черепами из соседних деревень.

Ира вообще-то уже была совершенно другой, цивилизованной студенткой, христианского вероисповедания, она жила в Дели в домике на плоской крыше четырехэтажного древнего дома, в мусульманском районе. Спокойно спала в пять утра под оглушительные призывы муэдзина с соседского минарета. Готовить не умела, разве что

«дал» (фасоль), и то извинялась, что недовари-
ла. Питалась в студенческих забегаловках или
просто на улице. Уехала с родной реки, полной
водяных змей, в пятнадцать лет, с горстью ба-
бушкиных драгоценностей. Училась уже во втором университете, знала множество языков. Но
ее квартиру на крыше постоянно обворовывали,
поскольку жители дома днем на раскаленную
верхотуру не поднимались, прятались в недрах
у подземного колодца, и сторожить было некому.
Так что все деньги и бабушкины драгоценности
украли, а приехавшие полицейские за осмотр
взяли последние триста рупий. И Ира со смехом
рассказывала, что привезла туда из родных мест
змею. Которая любила покрасоваться на видном
месте, на подоконнике, и была совершенно безо-
бидна для людей, питалась мелкими птичками.
Ира крошила для них хлеб на крыльцо и могла
уходить хоть на целый день, оставляя дверь неза-
пертой и воду для нагайны в тазике. Но однажды
она нашла свою подругу искромсанной, а домик
ограбленным дочиста: злодеи, видимо, принесли
с собой мангуст.

Вспоминая ее смешные рассказы, он торопли-
во шел сквозь туман все вперед и вперед. И вдруг
неожиданно для себя сказал:

— Знаешь таких мангуст? Охотники за
змеями.

Прилипала в ответ почему-то засмеялась.

Христианка Ира один раз, когда ее друг заболел пневмонией, спросила, где можно купить живого петуха, удивленного ответа не приняла и ушла на целый день. Затем сказала, что ездила в лес. Об этом говорить было нельзя, это выглядело как практика вуду. Чудом он тогда выздоровел.

Незнакомка шла все время рядом, как собака, буквально у ноги, и вся переливалась, светилась. Видно было, что ее несет на крыльях неожиданной любви, что все совпадает с ее надеждами и тайными мечтами о принце.

Дурочка.

После Иры он никого не мог любить. Она была большая мастерица по этой части. Это она в самый первый день положила ему под дверь цветы, а потом села к нему за столик в столовой и засмеялась. Ей было уже тридцать лет.

Мнимый Анатолий говорил глухо, невыразительно, но подробно. Она задавала вопросы.

Сам он ничем никогда не интересовался у девушек. Прилипалки обычно о себе не сообщали, зато буквально цепенели, жадно поглощая любую информацию с его стороны. При этом и спрашивать стеснялись.

Эта, новая, не тормозила абсолютно, была свободна и счастлива — как Ира в тот первый день.

Но прилипалы нам не нужны!

Они обычно, уже во второй раз, караулили на его путях, стояли как надгробия, вынужденно улыбаясь, даже рук не протягивали, чтобы коснуться. Иногда касались. Его била дрожь омерзения. Почему-то их притягивала именно шея, они дотрагивались до него своими ледяными пальцами, когда он сидел в библиотеке, например. Они казались ему конвоем, какими-то незримыми, но вездесущими вампирами, которые крадут его сущность, сосут из него информацию, хотят жить его жизнью.

— У меня потребность, — жалобно сказала одна, — потребность тебя коснуться.

Она как раз караулила его именно с этой ужасной целью. Он вдруг чувствовал на шее как бы ледяной укус. Мазок чужой руки.

Эта, новенькая из его армии, летела рядом как на крыльях, невесомая и блестящая. Она уже не надеялась на его рукав, видимо, успела напитаться чужой энергией, расстояние держала сантиметров сорок. Разрыв, как ни странно, увеличивался.

Ира явно была колдунья, она надолго привязала к себе душу мрачного псевдо-Анатолия, чтобы он спустя годы так рассказывал о ее жизни. Теперь он плел байки о том, что его одного товарища из Индии сразу по приезде в университет обокрали, и все полгода этот товарищ голодал, но высидел весь срок, изучая русский язык довольно весело.

Он еще тогда подозревал, что Ира ходит подрабатывать в студенческий бордель. Многие девушки с их курса хорошо одевались, ездили на такси и не ночевали в общежитии. Ира кормила своего друга довольно часто.

— Мой животик зарабатывает, — говорила она.

А ее подруги тут же сказали, что Ира списывала со стены у телефона номера трех борделей.

Так оно и шло.

— Как тебя зовут? — снова спросила новая прилипала.

— Сергей, я говорил уже, — ответил он, давая понять, что врет.

Девушка реагировала на это радостным смехом, не переставая светиться и переливаться во тьме. И она опять не сообщила в ответ, как зовут ее. Обычно те, предыдущие, сразу называли себя, как будто их кто спрашивал.

— А как теперь живет твой друг индус?

— Как живет, не знаю, — быстро произнес этот новоявленный Сергей. — Он или уехал заканчивать университет в Дели к себе на крышу, или вернулся к змеям в Нагаленд. Там повсюду змеи. Их кормят, поят. Если есть домашняя змея, она отпугивает всех остальных змей. Дело доходит до драк, — вдруг засмеялся он.

Она ответила низким грудным смехом. Какой красивый, однако, у нее голос!

— До драк?

— Да! Змеи сражаются! Домашняя должна победить. Если хозяева видят, что побеждает чужая, они ее убивают. Или новая нападает незаметно, ночью, и потом становится домашней. Ее должны принять, даже если она ядовитая. Иначе боги не простят.

— А! — засмеялась она. — Мне рассказывали историю, как змея полюбила солдата. Она приползала к нему каждый раз, когда он стоял на карауле. Он ее кормил крошками хлеба. Когда он погиб, его отправили домой в цинковом гробу. Родные вскрыли гроб, чтобы попрощаться. И там лежала рядом с ним мертвая змея.

— Это сказки, — отвечал немногословный Сергей-Анатолий. — Это все байки, страшилки. На самом деле все проще.

— Как тебя зовут? — опять спросила она.

Он посмотрел на свою прилипалу. Она вся переливалась, шла, как в ореоле, в свете ближайшего фонаря. У нее были счастливые, очень блестящие и слегка даже раскосые черные глаза, и сейчас она казалась намного смуглее, чем там, в зале. Но там ведь вертелись особые фонари, там все белое казалось намного белее.

— А зачем тебе это знать, как меня зовут? Сейчас ведь мы расстанемся навсегда, зачем? — в свою очередь спросил Сергей-Анатолий.

— Это просто так! Просто так! Ты очень похож на одного человека, очень! — как дурочка ответила она.

Так вот оно что! Дело оказалось еще проще. То есть она пошла не за ним, а за каким-то своим призраком. Не ему были адресованы все эти знаки счастья.

Мнимому Сергею стало одиноко, холодно и противно. Игра кончилась. Он не имел абсолютно никакого отношения к этой истории. Все было обыденно, скучно, невыносимо тоскливо. Чужая любовь.

Он решил молчать.

Девушка летела рядом с ним, и от нее буквально исходили лучи счастья. Вот ей повезло! Она встретила свою любовь, идиотка.

Наконец можно было по полной справедливости закончить все одним махом.

— Все. Хорошо. Иди отсюда. Иди домой. Я сыт, понимаешь? Ты мне не нужна. У меня есть женщина. Она меня ждет.

— Ты женился? — померкнув, спросила она.

— Почти.

— А кто твоя жена?

— Моя жена, она очень хороший человечек. И я сыт, ты можешь это понять?

— Она живет с тобой? — превозмогая себя, спросила девушка. — Расскажи мне о ней.

Неожиданно он начал говорить. Они стояли под фонарем, сыпался и сыпался туман.

— Она красивая и умная. Она взрослая. Она знает одиннадцать языков. И она очень искусна в любви, она жрица. — Какой-то странный текст выходил из его онемевшего от холода рта. — Она танцует в борделях танец живота, и никто не смеет ее там коснуться. Она ходит туда по субботам и воскресеньям. Ее ай кью двести десять, выше, чем у Альберта Эйнштейна.

— Двести десять? — изумленно повторила она. — Такого ведь не бывает.

— Бывает. Ей уже тридцать лет.

— А какие у нее глаза? — спросила рыбка-прилипала, при этом широко раскрыв свои, раскосые, абсолютно черные и сверкающие. — У нее темные или светлые?

— У нее светлые, но карие, — ляпнул бывший Анатолий.

— А где она сейчас?

— Сейчас она меня ждет, — уклончиво отвечал Сергей.

— Где, где она тебя ждет?

— А вот этого я тебе не скажу.

— Почему? Почему не скажешь? — с неожиданным акцентом произнесла она.

— Не хочу, и все.

— Ты не знаешь? Ты ведь не знаешь, где она тебя сейчас ждет? — настойчиво продолжала девушка-прилипала.

— Ты что, думаешь, я вру?

— Нет! Нет! Ты не врешь, я знаю. Ты говоришь правду! Первый раз за все время. Ты говоришь правду, что она тебя ждет. Но ты не знаешь, где она тебя ожидает?

Сергей молча повернулся и пошел. Он не слышал, идет ли она следом. Он не хотел больше на нее смотреть. Какое-то неизвестное чувство возникло у него в районе желудка. Как будто он падал, как во сне, с большой высоты. Это было похоже на тревогу, на испуг, когда бывает, что вдруг кто-то поймает на вранье.

— Как тэбья зовут? — настойчиво и с сильным акцентом произнесла девушка издали.

Оказывается, она осталась стоять на месте. Он, оглянувшись, пошел прочь еще быстрее.

Потом он опять остановился и обернулся.

Она была уже довольно далеко, светясь под фонарем как дорожный столбик с флуоресцентным покрытием. Сверкала вся, с головы до ног, как будто в довершение всего на нее падал свет приближающихся фар.

— Пока! — крикнул он, внезапно смягчившись. Угроза миновала.

Он ездит в универ на маршрутке и другим путем. Здесь он не ходит никогда. Она его больше не поймает.

Холодные темные массы воздуха били его по лицу, как сырые полотнища, так что трудно было бежать. Но он был закаленный спортсмен и не сбавлял темпа. Мчался, как в былые времена, чем-то сильно обрадованный (получил свободу?).

Когда-то, на первых курсах, он еще выступал на велосипедных гонках, машину ему дали казенную. Он из последних сил ездил, поскольку боялся, что отчислят (его взяли в университет по ходатайству спортивной кафедры, за первый разряд). Всегдашний страх поражения глодал его все эти годы. Вдруг все поймут, что он самозванец? Первое место у себя дома на городских соревнованиях он взял, потому что у финиша образовалась каша, завал, все слиплись колесами. Он шел за лидирующей группой, воспользовался и рванул, обманно всех объехал. Ему дали разряд, но за спиной хмыкали. Слава богу, тут же ему надо было уезжать поступать в университет.

Он опять остановился, запыхавшись. Форма уже не та.

Светящаяся черточка оставалась на прежнем месте. Она неподвижно сверкала. Как далеко он отбежал!

Прощай.

Он добрался до своего блока, принял душ, плюхнулся в постель.

Как хорошо.

В дверь постучали: сосед.

— Не спишь? Тебе звонили из Дели. Плохо было слышно. Там кто-то умер. Бира? Пира? Агайна какая-то.

— Ира? — быстро спросил он. — Нагайна?

— Может быть. Было плохо слышно, извини. Сосед ушел.

— Вот тебе и на. Вот и на, — так он начал повторять и заплакал.

Тут же он стал одеваться, закопошился, ища сухое, и наконец выбежал.

Она его искала везде и наконец нашла!

Он бросился вперед по шоссе, как тогда, на финише гонок.

Она засияла вдалеке, еле видная черточка.

— Андрей! Меня зовут Андрей! — кричал он в слезах.

Как же так, он ее не узнал.

Он добежал до светящегося столбика ограждения.

Только что проехала мимо машина, и столбик померк.

Он постоял, тяжело дыша, погладил ледяную шершавую поверхность, как будто это был надгробный камень, и поплелся назад.

Уезжая, она ему сказала так: «Я не вернусь. Или я вернусь после смерти. Денег мне больше не дадут. Преподавать не отпустят, слишком много желающих мужчин (она засмеялась). Это единственный способ. И я постараюсь тебя узнать».

Почти узнала.

Измененное время

С
транная, какая-то дикая история произошла со мной.

Начиная с того, что это были похороны. Мы, большая группа когдатошних однокурсников, хоронили нашего вундеркинда, мальчика, который пришел рано и ушел раньше всех, загадка.

Он теперь лежал в гробу молодым, худеньким как подросток, только что усы и бородка отличали его от привычного облика, усы и бородка, называемые «мефистофельскими».

Он при жизни всегда имел манеру хихикать, он как бы тайно, жалея и снисходя, но все-таки саркастически относился к нам, взрослому и идиотскому племени устаревших, застрявших во времени людей, он знал что-то (или нам это казалось с перепугу), чего уже нам было не узнать, он пришел к нам с большим опережением в возрасте, хоть это и парадоксально звучит, это ведь мы раньше родились. Но он, юнец, знал больше. Вроде бы и знал свою судьбу. Хихикал и торопился.

Точнее сказать: ему была дана фора! (Еще и вопрос, кем она была дана, но об этом тихо.)

Не то чтобы он был гостем из будущего — как известно, великие умы не есть порождение прогресса, они всегда возникали помимо времен.

Но все время это слово возникает в связи с ним: время.

Как он рос — да явно там, у себя в школе, среди сверстников и дворовых детей, особенно среди детей из своей среды (т. е. из дружественных и параллельных семей), он был некстати.

Он уже кончил школу, а они паслись в каком-то глубоком детстве жизни. Во втором, что ли, классе, страшно сказать.

О чем ему было с ними говорить, в какие игры играть — но и с нами, откровенно сказать, ему было тоже скучно.

Он заблудился в годах, короче говоря.

Его работы были настолько странными и непривычными для всех, что народ слегка чумел и не знал, с какой стороны к ним подойти, с какими, в частности, мерками (мерилами, говоря пышно, сообразно событию). К реальности все это не относилось никак!

Он открыл нечто не поддающееся использованию или даже вредное для человечества, во всяком случае сейчас, то есть ныне (пышно выражаясь). Ныне были все еще приняты иные мерила.

Он сам относился к этому хихикая.

Какие-то пересечения времен он соотнес между собой.

Он носил с собой свои выкладки, лично являлся с ними на заседания кафедры.

Как-то любил бывать на людях. Находил в этом кайф. Хихикал в обществе и заносил записи в походную VC (ву-цет).

Его, правда, сторонились. Люди справедливо опасались, что он смеется над ними.

Наш Леон трудолюбиво и лично распространял работы своего ученика повсеместно, распределял между светилами нашего института, которые (светила) валялись дома у себя на диване и печатали полторы страницы раз в шесть месяцев, такая существовала периодичность, не реже (и каждый раз это было событие в ранге полумирового).

Леон закидывал мефистовские труды в мировую сеть, сам признавая, что мало понимает в данных выкладках, однако ожидал, что всё в мире, как всегда, рифмуется, идеи рождаются попарно в разных местах, и часто на явно безумную мысль находится другая такая же: недаром третья с конца проблема Вулворта была решена одновременно в Канберре и в академгородке Апатиты. С разницей в тридцать секунд. Наш апатитовский м. н. с. был первым, но поленился выйти в сеть и свалил на радостях купить бутылку по такому случаю.

Все равно он опубликовался раньше на эти секунды. Так сказать, оказался чемпионом мира (полмиллиона долларов). Хорошо еще, что в его VC автоматически проставлялись даты. У некоторых наших и того не было.

Правда, чаще всего на такое открытие находится оппонент с четкими аргументами.

Однако Леон зря метался. Таковых конгениальных не нашлось. Все кривились и пожимали плечами. По всему миру.

Идеи нашего младенца невозможно было применить и в военных целях, несмотря на то что это ведомство серьезно относится даже к ведьмам. Пыхтя пытается употребить.

Мефисто, однако, продолжал жизнерадостно хихикать, потирал худые детские ручки и напрашивался на любую пьянку на любом этаже, в том числе его видели справлявшим день рождения уборщицы у нее в подсобке, и дело кончилось свальным грехом, как всегда у него. Ребенку нравилось это дело, и возраст и количество партнеров (и их пол) не играли роли. Радостно пристраивался.

А так все пусто, пусто было вокруг него. Человечество молчало, чаще всего стараясь не замечать, инстинктивно игнорируя неведомое, т. е. почитая его за бред.

Мефисто как бы писал ноты, как маленький ребенок иногда балуется — и ни один виртуоз *а)* не в силах этого сыграть, и *б)* что незачем. То есть наши выражались в том смысле, что технические трудности тут преодолимы, но неохота участвовать. Белиберда.

Объяснение простое, однако его работы нас мучили.

Затем все покатилось довольно быстро, Мефистофель начал употреблять, и не только спиртное. Якобы возникли проблемы со сном: а у кого их нет! Леон был в этом смысле образцом, все в его органоне протекало естественно, как у животного, он иногда восклицал после заседания кафедры, оказавшись в компании редко бывающего, раз в полгода вставшего с дивана коллеги: «Ты знаешь, как я сру? Раз — всё!»

Правда, Леон мучительно долго умирал, это у него шло параллельно с угасанием Мефисто.

Малыш специально, что ли, догонял своего учителя, как раньше Лермонтов все нарывался на дуэльный пистолет.

Крупные, все увеличивающиеся дозы превозмогли хрупкую натуру Мефисто, отец сволок его на реабилитацию в клинику, дальше он уже сам пошел по больницам, сдвинулся, стал лунатиком, впадал в летаргию, однажды лежал два года с широко раскрытым ртом, остекленевший протез организма.

Наконец ему во второй срок (он продержался пять годков) отключили жизнеобеспечение.

Он, правда, сам и заранее написал, определил время, в течение которого его можно держать при жизни в бессознательном состоянии с помощью аппаратуры. Зачем-то ему это было нужно.

К тому моменту армия как бы уже подобралась с разных сторон, на манер наводнения, к его одной идее, и они как раз не дали ему уйти в первом приступе летаргии.

Второй срок, правда, они проворонили, в ординаторской у врачей все были в отпуску, жаркое лето, и одним прекрасным днем дежурная сестра получила по телефону указание вырубить СЖО. Она потом оправдывалась, что узнала голос главврача. Но главврач сказала, что была в тот день в Гааге как раз на конференции. И не стала бы оттуда заниматься такими делами. (Такими мелочами типа.)

Повторяю, его отключили в июне, но он дожил до сентября, вот фокус. Таял, таял.

Мы собрались все, могучий интеллектуальный потенциал нации, кто с гриппом, кто с трудом вставши с дивана. Бодрых и лихих, энергичных, обвешанных сотовыми микрофончиками, на могучих броневиках с пушками среди нас не было, да и не тот это был зал прощания. Так, зал в больничке на улице Хользунова.

Теперь он лежал, наш юный Мефисто, жалкий, восковой, ледяной, ростом с десятилетнего ребенка. С ним неловко прощались, почему неловко: стоило только тронуть его плечо, как человек понимал, что там, под шерстяной тканью, остались одни тонкие кости. Все сразу отдергивали руки. Тайна склепа не должна быть явной, вот что!

Он лежал и расставался со светом в полутьме траурного зала, а каков теперь результат его профессиональной деятельности, еще только предстояло узнать. В перерыве между двумя летаргиями вояки держали его на реабилитации в санатории. Он ни с кем не поддерживал связи. Леон умер в его первое отсутствие.

Как и раньше (думали мы), как и раньше, никому все это не пригодится, хотя одновременно несколькими (в пламенных и скорбных речах) была выражена мысль, что надо запустить в сеть память с его персональной ву-цет (VC). И надо просить у наследников разрешение на это, низко им поклонившись.

Жена покойного, толстая, простая баба, базедова болезнь и слабоумие в анамнезе, просто орудие наслаждения (как, хихикая, однажды обронил Мефистофель), русская негр, белая раба, испуганно кивала. Сын стоял, явно отсталый, открывши ротик. Двое людей с военной выправкой, склонив друг к другу простоволосые головенки, обронили по неслышной фразе. Вот это и были его наследники.

Поговаривали, что простуха жена ежедневно покупала ему литр водки. А ребенка попросили вон из хорошей школы.

Отчаяние, полнейшее отчаяние зияло вокруг этих двоих сирот.

А мы друг за другом говорили покаянные речи, я тоже сказала несколько фраз и отошла, имея впереди только спины стоящих, отошла, чтобы дать место другим.

На самом деле мы все чего-то ждали. Какого-то апофеоза, триумфа, как люди вокруг виселицы и особенно сам осужденный, стоящий в мешке на табуретке, — все, навострив уши, ждут топота копыт и прилетевшего с помилованием посланца высшей воли.

Он не мог уйти просто так. Каждый из нас в это верил.

Атмосфера была накаленная в этом мрачном, сыром зале прощания. Как-то все медлили.

Однако распорядительница, тоже простая баба, имела в виду мертвую очередь скопившихся в коридоре гробов, и она навела окончательный порядок, велев прощаться с покойным.

Люди стали подходить к гробу, кланяться, креститься, жена с рыданием поцеловала Мефисто в губы, я тоже подошла, ведомая общим направлением движения.

Он меня любил. Между своими летаргиями он мне, хихикая, звонил. И до того. И уже скончавшись, сегодня утром пригласил на свои похороны, чтобы ему там пусто было.

Покойник вдруг оказался просто завален цветами, причем самыми роскошными. Дивной красоты эндемики, мелкие дикие орхидеи из амазонских джунглей, сноп голубых лотосов (астраханские, по-моему)... Выстроились венки с надписями на хинди и на иврите. Даже на хеттском было какое-то пожелание вечной жизни (я как-то расшифровывала эпитафию для племянника подруги).

Однако на одной из лент содержалась явная ошибка, золотом по черному было выткано «Любимой», вот какие шутки выделывает жизнь.

Я стояла в ногах Мефисто, мне был виден только его нос, обычный восковой нос с ямами ноздрей.

Неясное ощущение личной моей вины все росло.

Я вспоминала его отчаянные звонки, его письма, которые он, не скрываясь, посылал мне прямо на институтский почтовый ящик, который можно было вскрыть на любом экране VC, на первом попавшемся рабочем месте, даже в канцелярии.

Счастье еще, что только одна я их понимала. Он знал, что я могу расшифровать практически все. Меня тут и держали как простую дешифровщицу. Вояки присылали за мной и каждую мою работу оплачивали институту немаленькими деньгами.

Но я не всегда принимала их заявки, установив определенный график, сутки через трое меня не было нигде.

Я посещала некоторые заветные места, и Мефисто об этом догадался. В частности, тяжелую таблицу для племянника подруги (в просторечии «скрижаль») я приволокла на время после четырех суток отсутствия. Мефисто позвонил и прямо спросил насчет третьего пункта, верно ли переведено.

Несколько десятков писем Мефисто были посвящены проблемам изменений времени. То, что у многих день путается с ночью, это мучительно, но обыкновенно. «У меня могут наступить другие часы жизни, — жаловался он, — однако! Как говорится, все нам доступно, но не все полезно. Я не могу покинуть своего сына».

Я ни разу ему не ответила.

Он к этому был приспособлен. Он работал только из себя и не принимал ничего, никаких встречных сигналов, они были ему не нужны.

Даже когда Мефисто писал, что больше некому, после ухода Леона, посылать сообщения.

Подумаешь!

Я не ответила ему, что мне и при Леоне некому было слова сказать.

Разве что задать вопрос нескольким людям в свое отсутствие, но это особь статья. Лысому курносому в ожидании его сарказмов.

О, тамошнюю меня никто бы не узнал здесь. Мальчик-женщина с голыми коленками, платье мини (оно там иначе называется). Камни, жара как из хлебной печи.

Кстати, другим нашим сотрудникам Мефисто посылал ровно такие же тексты.

Мы все обменивались фразами, короткими, как одиночные выстрелы, мы, подпольные кроты, каждый со своими проблемами (миллион долларов решение).

И мы пришли к общему выводу, что наш младшенький неадекватен времени по определению, но только сейчас его это стало мучить, с появлением сына.

А ведь таковым посторонним он пребывал всегда, вечно, и никто в мире не способен сейчас заставить его вернуться, допустим, с небес на землю и попытаться жить сообразно своему земному возрасту.

И, что основное и трудноосуществимое, нельзя заставить его не создавать всё новые неразрешимые проблемы! Взять хотя бы его ребенка. Мефисто пытался родить обычное чадо, взял женщину из народа, из буквально посудомоек, но, видите ли, дитя не влезает в рамки ни единого учебного заведения нашего времени! Не понимает деления и умножения, никаких правил, они ему не нужны изначально. Из первого класса крошку ликвидировали, направив его в школу олигофренов. Он и там не отвечает на вопросы. Он давно уже занят тем, что ему безрассудный папаша втемяшил в мозги, создавши из него некоторый ходячий полигон для решения теперь уже третьей проблемы Золтанаи (полмиллиона долларов). В одном из писем Мефисто ужасался своей недальновидности. Не мог, дескать, предугадать, что так будет убиваться насчет сына.

Ребенок, можно это видеть, даже у гроба размышляет интенсивно и бесшумно, пуская слюнку изо рта.

«Я должен уйти, но не могу их покинуть, Фаина выдающийся человек, однако она беспомощна без меня, а Дима вообще еще не может оформить решения как следует. Не владеет аппаратом вывода на мою VC! Как я их оставлю!»

Мысленно я нашла для него выход из положения — умереть на время.

Он как-то умудрился отсканировать мою мысль из ноосферы (используем слова великого В.), т. е.

вне связи. Или эта идея, согласно закону мировых рифм, пришла к нему тоже.

Летаргия номер один позволила его семье жить безбедно (армия терпеливо ждала), мальчик работал над второй частью проблемы Золтанаи еще два года (еще 500 тысяч долларов).

«Спасибо тебе, моя любимая, я замедлю еще раз уход, пока не решу свою задачу с временем. У вундеркиндов слабый животный потенциал, к сожалению», — написал он мне на общеинститутский почтовый ящик, причем графически изобразил это в виде примерно такой абракадабры, каковую любой младенец может извлечь из VC, если начнет барабанить по клаве двумя кулаками.

Я убедилась, что он читает мои мысли, те, быстрые, из первого ряда.

Больше я не думала о нем.

Он, правда, вынуждал меня это делать иногда — к примеру, как сегодня.

Я торчу перед венком с надписью почему-то «Любимой»!

Явная ошибка.

Всюду этот юмор жизни.

Итак, повторяю, мы всем коллективом не смогли заставить его не создавать проблем, до которых еще не доросло наше бедное человечество, и заняться рядовыми десятью постулатами, каждый из которых представлял собой непреодолимое препятствие, неразрешимый вопрос (как заповедь «не убий» для солдата-католика).

А вояки, платившие ему, те не в счет, они в основном терзались над вопросами попроще, типа насчет НЛО, желая управлять этими мультипликационными процессами (cnth-анимация разряда DI) для трансконтинентального устрашения врагов.

Вернемся к обстоятельствам.

Я стояла за горой цветов, недалеко от изножия гроба. И нахальная ошибка с венком, на котором было написано «Любимой», маячила передо мной отчетливо, как всякое золото на черном, как наряд восточной женщины.

Перепутали буквы! Надо «Любимому»!

Вдруг посреди этих невеселых мыслей я поняла, что в музыку, обычную погребальную органную музыку, вторгся вульгарный шум.

Кто-то хрипло визжал, орал, кого-то поднимали с пола там, впереди, у изголовья.

Происходила невероятная для этих обстоятельств истерика!

Вдруг я услышала грубый, громкий голос. Некий мужчина встал в центре зала со словами:

— Она всех вас приглашает на поминки. Милости просим помянуть ее!

У этого неизвестного мужика было лицо алкоголика с ярко выраженными признаками.

— Усопшая бы вас сама пригласила, если бы встала!

Очевидно, это была шутка.

Она — это кто? Усопшая — это кто тут?

— При жизни, — давясь от слез, выкрикивал мужчина, — вы не все ее посетили, так спасибо, что посетили после смерти, и вас так же будут навещать! Вас всех!

Поднялся недовольный шум.

— И милости просим на поминки, места у нас хватит, заказана столовая при заводе. Скоро помянете! — надрывался человек, обливаясь слезами.

Люди как-то стали двигаться к огромным дверям.

Слова мужчины содержали явный упрек всем собравшимся. Кроме того, он пригрозил нам одним на всех скорым наказанием — «вас так же будут навещать».

Я заглянула поверх груды цветов, ничего не разглядела.

Виднелся только нос Мефистофеля, странно раздувшийся, как от насморка.

Остальное было прикрыто полосой ткани.

Какой-то сумасшедший проник в зал, это явно, и кричал. Отсюда суматоха, странная свалка на полу, какая-то борьба.

Надпись «Любимой», однако, содержала еще какие-то слова, не видные из-за скрутившейся ленты.

Я подвинулась поближе к венку, дотянулась рукой и расправила надпись.

«Любимой жене Алевтине!» — таков был венок.

Рядом я прочла опять-таки «Дорогой Алевтине» и какое-то сложное, свернувшееся в трубочку отчество, пропавшее среди цветов, и «Любимой маме от Ольги и внуков». Что за бред?

Мефистофель стал женщиной и умер в старости?

Вот это новость так новость, вот это перескок, смена времен!

Но ведь он писал мне, что скоро найдет способ оставаться прежним в изменившемся будущем.

— Дорогая Валя, — послышался новый плачущий, теперь женский, голос. — Алевтина! Прости меня!

Я подобралась поближе. Ни усов, ни бороды у покойника! Старушка явно!

Все понятно. Я попала не туда.

Но как же так, всего две минуты назад я явственно видела нос Мефисто!

У меня что, произошло выпадение из времени? Я тоже перескочила, пропустила все, на ходу потеряла сознание и очнулась позже? Позже на сколько?

Час или десять минут я была без памяти? Тут, ровно на этом месте, простояла как истукан?

Мефисто ведь работал над проблемой пересечения времен. Перетащил меня в другой момент?

Кстати, я уже вчера отметила некоторые несообразности в своей собственной жизни: утром, оставив на зажженной конфорке сковороду с омлетом (уже не успевала поесть), я, вернувшись домой вечером, обнаружила ее, совершенно черную, обгоревшую, в раковине, а плита была выключена.

Притом я точно знала, что именно забыла сковородку на плите, и за весь день ни разу о ней не вспомнила! И когда это я возвращалась к себе домой, когда выключала огонь, когда ставила обгоревшую сковороду в раковину? Этого же не было точно! А живу я абсолютно одна, и дверь отпирала своими ключами, которых нет ни у кого! И не могли воры войти в квартиру, кинуться к дымящейся сковороде, привести все в порядок и уйти с миром!

Явно поработал добрый дух, явно.

И вот теперь я стою как полнейшая идиотка среди посторонних людей и хороню постороннюю бабушку! Какую-то «Любимую»! Причем уже давно я пялюсь на этот венок, почти с самого начала, когда встала в изножье гроба...

— Простите, сколько у вас на часах? — спросила я женщину впереди себя.

Она ответила, полуобернувшись (я увидела незнакомый профиль и красный нос):

— Тринадцать тридцать.

Вот это да! Похороны Мефисто были назначены как раз на тринадцать тридцать! И я еще опоздала минут на десять, и нас долго не пускали, предыдущие никак не выходили... Где-то около двух часов мы вошли в этот зал.

Я посмотрела на свои часы. Три ровно.

— Извините, а какой сегодня день?

Она даже не обернулась, только покачала головой:

— Понедельник.

Так. Понедельник это и был. Я прекрасно помню.

— А год, год какой? Понедельник какого года?

Она покосилась на меня через плечо и промолчала.

Может быть, подумала, что я не в своем уме или просто захотела поговорить, посторонняя всем на этом семейном сборище.

Я и одета была совершенно не как они, без черного платка на голове. Вообще без шапки.

Я потихоньку вышла из морга в чистое снежное поле, по которому шла наезженная дорога, усеянная еловыми веточками и пестрыми лепестками.

Дорога вилась в полях до горизонта. Автобусы стояли рядами у здания с трубой (это был, видимо, крематорий).

А я же ведь в два часа приехала на улицу Хользунова, такси ползло через все городские пробки, водитель долго блуждал по переулкам, ища возможность проникнуть на улицу с односторонним движением. Вокруг простирался шумный, грязный, забитый транспортом город, солнышко показывалось из-за туч, тротуары были мокрые... Конец сентября был!

Белое безмолвие окружало меня.

Я повернула к автобусам.

Что самое неприятное, всем здесь я была посторонняя, и теперь надо пристраиваться к чужим автобусам, к чужим людям...

Я вернулась в зал крематория, инстинктивно пробралась к той тетушке, у которой я спрашивала время. Это был единственный знакомый мне человек в данном времени.

Тут уже лилась траурная музыка, гроб уходил за занавеску, люди рыдали, кто-то очень громко выл, буквально во весь голос, отпустивши поводья. Плакальщица явно профессиональная, заводная.

Вдоль стен стояли те самые венки с надписями «Любимой», «Дорогой», «Незабвенной».

Женщина, та, моя единственная родная душа, полуобернувшись, сказала:

— А Николай так ее и не увидел.

— Да, — ответила я тихо.

Она меня явно за кого-то приняла!

Играя свою роль подавленной горем родственницы Николая (как меня зовут-то?), я немного скуксилась, понурилась и побрела наружу теперь уже в толпе, имея в поле зрения свою знакомую, вернее ее спину. Вслед за этой черной спиной я забралась в автобус, надеясь куда-нибудь приехать.

Одета я была, конечно, несоответственно — легкая куртка, брюки, все темное, очень приличное. Черные очки! Я их быстро стащила. Любопытствующие уже оборачивались (я села на заднее сиденье справа).

По рядам пошла гулять бутылка водки, мне тоже налили в пластмассовый стаканчик.

— За нашу дорогую, — провозгласил кто-то впереди, и все согласно кивнули и выпили. Я сделала вид, что пью, переждала немного и вылила водку себе под ноги. Хорошо, что рядом сидящий мужик в это время дул из горла своей, отдельной бутылки.

— Как тебя? — спросил он.

— Лена, знакомая Николая.

Спасибо тетке.

— Ты откуда?

— А вы откуда?

— Я-то с Талдома, — с большим упреком ответил мужик.

— А как вас зовут?

— Николай.

— Тоже? — глупо сказала я. — Николай... Надо же... А как отчество?

— Так Петрович. Ну... а ты откуда? — как-то уже не сдержался он.

— А я из Америки, — вдруг вырвалось из моего рта.

— А, — развязно отвечал мой Николай. — Слышали мы, слышали о вас.

Бог ты мой!

— Ну и как ты теперь? После этого убийства? — спросил он с некоторой оттяжкой.

— Я?

— Да. Вот ты. Не будем вообще вспоминать, она о тебе говорила всю свою жизнь. Она верила, что найдет тебя...

(И прикончит, подумала я.)

И, опережая события, ляпнула:

— Меня осудили.

— Сколько дали?

— Двадцать лет.

— Дела, — кивнул мой Николай своей дурной головой. Видимо, в знак того, что двадцать лет — это справедливо.

После чего он выдул бутылку до дна.

Затем он заснул, успокоенно положив на мое хилое плечо эту свою голову, набитую теперь полнейшей информацией.

Слева от меня сидела еще одна тетка. Она все, оказывается, слышала.

— Валя о тебе говорила всю свою жизнь, — подчеркнула уже сказанное тетка. — Она верила, что найдет тебя. Это Николая, — объяснила тетя вперед мужику и старушке.

Те обернулись.

— Как она мечтала тебя убить! — сказала старушка.

— Она же закончила свою жизнь на балконе, думала тебя встретить сверху, — продолжала тетка слева.

— А я не успела, — ответил мой рот. Тяжелая голова Николая-2 подпрыгивала на моем плече, дорога была неровной.

— Вот так да, — сказал старичок и обернулся ко мне. — Николая собственной персоной, Николая Степановича. Где же был ты, Николай?

Я заметалась. Что это, я стала Николаем?

Потрогала лицо. Нет, все мое со мной. Курточка, под курточкой свитерок, белье, грудь.

— Где он был, там его нет, — продолжала я этот дикий разговор. — Он пасет ослов на Апалачах.

Они покивали.

— Ослов, козлов на даче, — пронеслось вперед по рядам. Кто-то не расслышал и переврал.

Не важно, что они там мелют, главное, чтобы они не оставили меня в этой заснеженной пустыне. А довезли бы куда-нибудь.

— Тебя теперь отпускать нельзя, — сказал старичок. — Она так ждала этой встречи.

— Так ждала, так ждала, — понеслось по рядам.

Внезапно я ответила так:

— Какой знакомый крематорий! Я хоронила здесь Риту. Был батюшка.

— Да-да, — заговорили в автобусе. — Сколько мы сюда перетаскали!

Минуты две они наперебой выкрикивали имена и фамилии, стали спорить, выпили еще, затем запели.

За окнами темнело.

Какой хотя бы год?

— Ни у кого газеты нет? Ноги промокли, — фамильярно обратилась я к автобусу.

— Я хоронил тут Элизбара, — обернувшись, ответил спереди щербатый старичок, — начальник цеха был! Винзавод уже закрыли. Новое оборудование купили, всех уволили... А Любу еще раньше. Ее прямо вынесли. Говорила: «Пила до вас и после вас буду!» А техник-технолог. Мы привозим ее, она свекрови кричит: «Ну ты, деловая! Мой халат снимай!»

— А что такое время? — спросила я.

— Время? — услышала женщина слева. — Пора спать. Время ночь.

Николай поднял голову с моего плеча и ответил:

— Пять часов?

— А Шуру тут хоронили, — сказала ему я. — Такой Шура Мефисто.

— Это сколько раз было! — Николай даже отпрянул от меня. — Я с ним вместе учился!

Здрасьте. Приехали.

— В каком классе?

— В десятом.

— Но он был моложе вас?

— Да, было ему восемь лет. Моложе! Это не то слово. Он пришел к нам в сентябре из второго класса, видали? Мы уже усы брили! Закончил сразу за месяц школу и в октябре поступил в университет и тут же, когда ему исполнилось десять, его закончил!

— Подумать только...

— У таких людей, — назидательно продолжал Николай, — есть привычка возвращаться и перескакивать туда-обратно через некоторое время! Это и есть бессмертие, — сказал он. —

Меня таскал. И всех с собой гоняет. Возвращаюсь как огурец, а моя жена бабушка.

— Вот у нас какой год? — придирчиво спросила я.

— Не это важно! — воскликнул нетрезвый Николай. — Он вообще сейчас в клинике живет на сохранении.

— И как себя чувствует?

— Да чувствует, — отвечал Николай. — Скучает. У него целый этаж. Да это не здесь. Сын профессор. Миллионер. Жена то там, то там. И Шура этот Мефисто мне все время звонит. Когда явишься. (Неожиданно он вызверился.) Ра-бо-та у меня, ясно?

— А вы кем работаете?

— Я? Я оператором. Ты что, маленький ребенок? Иди в люлю! — вдруг сказал в пространство Николай. — Я же оператор! Уборочный комбайн! Сутки через двое!

— А мы сутки через трое, и мне сейчас заступать, — перебила я его и спустя некоторое время уже шла среди мраморных колонн.

Сияло вечное небо. У меня были голые коленки, на кудрявой голове ловко свернутая ветка плюща.

Лабиринт

В тот момент, когда земля задышала, месяц выступил как бледная чешуйка на еще светлом небе, а трава уже была тут как тут, то есть апрельским вечером, девушка Д. наконец пришла на садовые участки садоводческого товарищества «Лабиринт», раскинувшего свои домики среди плодовых деревьев, уже тоже окутанных зеленым туманом.

Дом только что похороненной тетки, престарелой и нищей, выглядел почерневшим от дождей, но был вполне крепкий.

Внутри оказалось пыльно, пахло яблочной гнильцой (на просторном чердаке лежали в газетах морщинистые коричневые прошлогодние яблочки, тетка не успела их вывезти, вывезли в больницу ее самое). Две комнаты и терраса, однако, были вполне пригодны для жизни, разве что замусорены до ужаса, просто разграблены посмертными посетителями, все было высыпано как из рога изобилия.

Правда, шкаф и кое-какую мебелишку не вынесли вон, было на чем есть и спать. Хорошо также, что имелись газовое отопление и плита, тетка прекрасно подготовилась к длинной старости. Тетка жила тут безвылазно, одиноко, никого собой не обременяя, идеальный случай, хотя слегка и тронулась, видимо, потому что соседки рассказали, что ранней весной, приехав на посадки редиса по снегу (такой способ), застали ее на участке (в последний год жизни) и спросили, каково-то было тут обитать одной, а она ответила, что я не одна, со мной Александр Блок, вон он, навещает, и она кивнула на дом. Вид у нее уже был плохой, но какой-то даже счастливый.

Д. после этих рассказов (она узнавала у соседки как раз насчет газового отопления, как включать) — Д. после такого предисловия решительно взялась за полы, вскоре развела костер из бумажных отходов, сортировать не было сил, а там мелькали письма, стихи, счета, заполненные тетради, какие-то списки, важные следы чужой жизни, гори оно огнем! Стихи она взяла в руки поинтересоваться — оказалось, действительно строчки Блока. «Мне снится берег очарованный», выцветшими чернилами с буквой ять, какое-то странное послание.

Позже она вспоминала о тех тетрадях, жалко, что сожгла, может быть, тетка что-то бы ей оттуда, из-за гроба, как-то сообщила, ведь тексты — это опыт чужих ошибок, лазейка в лабиринте, наука дуракам и т. д.

Но что сделано, то сделано, тогда еще Д. не любила свою тетку, как полюбила позже.

Короче, до самой ночи Д. устраивалась на ночлег, надо было спешить освободить хотя бы одну комнату, но, поддавшись наркотику труда, Д. не успокоилась, пока не убрала, не вылизала весь домик. Костер чужого ума горел ясным пламенем на участке, валил сладкий дым, мокрые тряпки после мытья пола и окон висели на нижних сучьях, а Д. нашла банку довольно пригодных белил и заодно, пропадая от усталости, побелила изнутри и рамы окон (снаружи завтра).

Это был такой трудовой запой, видимо, инстинкт рабочих пчел, который ведет по жизни многих и многих женщин, сладко наводить порядок на новом месте весной!

Домик сиял.

Д. была счастлива, как никогда.

Дом тетя Леля завещала именно ей, и никаких пап-мам Д. не хотела звать ни в гости, ни тем более на постой, ее семья жила шумно, откровенно, даже цинично, и Д. стремилась вон из этого вонючего людского тепла — туда, где никто не вынудит незамужнюю девушку плакать, накрывшись подушкой, особенно после откровенно-заботливых возгласов отца, что ничего, что дочь у нас не девица, заклеим бумажкой и выдадим замуж! Мать в ответ кричала: «Идиот поганый». Возникал обычный семейный круговорот, теплый, густой, как суп, ежедневный, обязательный, обезоруживающий, потому что отец страдал, уязвленный тем, что некто Миша не женился на дочери, прожил просто так два месяца в квартире, проужинал шестьдесят раз, поварился в семейном котле среди циничных, откровенных слов заранее огорченного отца («А кто он нам? Пусть идет, куда шел») и громких, не менее циничных возражений матери; за отчетный период Миша перебрал свой пуховой спальный мешок, с которым приехал к невесте, каждый вечер терпеливо разворачивал и перебирал комок за комком, затем выстирал все по отдельности в мыльной стружке, сам все приготовил: таз, тазик и ведро — опять разложил высохшее по полу, простегал крупными стежками, ни слова ни говоря, потом скатал, собрал вещи и вышел вон к ночному поезду, турист, походник, мужчина, немногословный, как полагается.

Ребенка у Д. не завязалось, Д. вообще все эти два месяца до ужаса стеснялась отца и мать, пребывающих за тонкой стенкой, они ни разу не ушли из дому, ни в кино, ни в гости, ни просто погулять, вроде бы сидели и сторожили.

Несостоявшийся зять, который все это время ночевал на полу в одиночестве, уезжал как бы временно, завязал свой рюкзак, водрузил на него спальный мешок выше головы и, наскоро простившись с плачущей Д., она лежала как в горячке на своей кровати, канул в вечность, не поняв и не приняв ничего, эту семейную атмосферу полной правды в выражениях, убрался домой куда-то за Уральскую гряду, где у него была своя, в свою очередь, еще не старая мать, тоже откровенная до ужаса, которая в ответ на телефонный звонок Д. прямо сказала: «Нечего сюда звонить, поняла? У него хорошая невеста тут».

Д. решила ночевать на полу, на своих одеялах, а тахту и ребристый диван пока только протереть, насчет же выбивания пыли подумать завтра, как это выволочь во двор.

Потом она села пить чай и все думала о тетке. Почему она завещала дом именно ей, причем тайно, вызвав ее на свой вокзал, отдала бумагу, говорила кратко, глядя на Д. круглыми, очень светлыми карими глазами (цвета чая) со своего румяного, коричневатого, как печеное яблочко, худого лица. Она вроде бы опаздывала (куда?) и спешила на поезд, хотя эти поезда ходили туда-сюда каждый час.

Причем, что чудом можно было бы назвать, на среднем пальце правой руки, когда тетка заботливо сняла самовязаную коричневую шерстяную варежку, у нее обнаружилось кольцо с круглым, выпуклым ясно-коричневым камнем точно под цвет глаз. Зачем тетка его надела на вокзал? Что за щегольство?

Позже-то это кольцо нашлось, Д. его обнаружила, вернее, изумилась, увидев, но именно позже.

Отношения между теткой и ее младшей сестрой, мамой Д., были давно, с детства, плохими, мама Д. родилась, когда тетке было уже восемь лет, и ревность поселилась в ее сердце, ревность и зависть, особенно когда мама Д. выскочила замуж, тетке нравился мамин жених, это явно. Такую семейную легенду мама повторяла не раз, а отец, смеясь, не отрицал. Сама тетка так и осталась при родителях старой девушкой, проводила инвалидов на погост вкупе с их болезнями и неподвижностями, несчастная, все звонила, приглашала попрощаться с еще живыми, чего прощаться заранее, не каркай, яичница, шутил отец. Он называл свояченицу «яичница» и часто говорил: «Яичница, напиши на меня завещание, ты же одна, хоронить тебя буду я».

Д. пила чай на свободе на теткином завещанном раздолье, за чистыми стеклами сиял негаснущий майский закат.

В детстве Д. провела здесь как-то летний месяцок, уже после смерти деда и бабушки, по очень важному поводу: мама Д. легла в больницу, а отец мигом уехал в командировку, и тетя вынуждена была взять маленькую Д. на дачу. Девочка Д. заболела вскоре, плакала перед сном каждый вечер, тосковала по маме с папой, а тетка приходила к ней, брала на руки, завернувши в одеяло, как младенца, даже сшила ей специальную куклу-мальчика, Пирамидона, чтобы Д. принимала пирамидон. Тетка читала ей какие-то непонятные стихи, при этом она зажигалась чуть ли не страстью и произносила стихи с силой, а Д. капризничала и не хотела слушать. Потом все душевные раны у маленькой Д. зажили, ребенок, как кошка, должен привыкать к одиночеству, если его бросили, что делать, она и привыкла к тете, неотлучно ходила при ней в магазин, на станцию, даже поехали однажды в электричке и на автобусе на почту в райцентр звонить. Тетя заказала разговор, взяла трубку, услышала чей-то голос, но говорить не стала, сразу вышла из кабины и со скандалом взяла обратно деньги за неиспользованный разговор. Они к тому моменту уже прожили вдвоем месяц, а тут вдруг, вернувшись в «Лабиринт», тетя собрала вещички Д. и повезла ее на электричке в Москву, и там молча отдала в дверь отцу, мать тоже была дома, оказалось, мама провела в больнице только три дня, и отец сразу же вернулся, командировка была коротка, но они так, хитростью, решили заставить тетку взять маленькую Д. к себе на дачу! Свежий воздух нужен ребенку! Они проклинали тетку на все корки, они рассчитывали уехать в отпуск в военный санаторий, куда детей не брали. Уже были на руках путевки. Что же, пришлось сдавать одну путевку, и мать, ругаясь, поехала с Д. тоже в Судак, там сняла за дорого комнатку на двоих, и так и прожили недовольные двадцать четыре дня, а очень хотелось отдохнуть одним на воле без детей в военном санатории. Отец вечно опаздывал в свою палату, уходил от матери в санаторий нехотя, лазил туда в окно на первом этаже после отбоя, утром встречался с семьей недовольный, и они с мамой ругали и ругали тетю Лелю.

Так что воспоминания о тетке были самые недобрые, и почему она вдруг решила оставить Д. свою дачу, непонятно.

Но факт остается фактом, раздался звонок, далекий голос закричал: «Москва, говорите с Рузой», — и теткин еле слышный голос назначил Д. свидание на вокзале, на шестой платформе у ступенек, завтра в три.

Тетка, как уже было сказано, сияла нездоровым румянцем после двух часов пути, глаза ее были прозрачные, как полированное красное дерево, и тетка сунула Д. согнутую пополам новую бумагу со словами:

— Ты у меня одна. Я тебя вспоминала, моя голубушка, как ты часто плакала, а я тебя баюкала. Я написала в твою пользу завещание на свой дом в «Лабиринте», тебе позвонят. Под дождевой бочкой в саду на глубине лопаты будет закопана стеклянная банка с подарком. Мой поезд скоро, беги, ты опаздываешь, ты стала такая взрослая, красавица...

Д., идя домой, поразилась, никто ей не говорил никогда, что она стала красавицей, мать, наоборот, критически смотрела на Д. и была всегда недовольна ее ростом, дородностью, румянцем, кричала, что меньше есть надо булочек в институте, что сейчас не модно быть толстой, не нажирайся хоть на ночь, опять все конфеты уничтожила!

И взрослой она стала даже слишком, работала в институте уже восьмой год, в справочном кабинете, заполняла формуляры вдали, в пыли, расписывала газеты и журналы по тематике, раскладывала по папкам, ходила с женщинами из библиотеки в бассейн, сеанс по воскресеньям в восемь утра. Сутулилась. Мать кричала в бессильной муке: выпрямись, кулема!

Д. прочла в метро составленное теткой завещание, причем вспомнила, что после смерти деда мама долго настаивала на том, чтобы Леля прописала к себе Д. или хотя бы съехалась с ними, с оставшимися в живых родными, но тетка Леля даже разговаривать не хотела, бросала телефонную трубку.

Д. не стала спрашивать старуху, что с квартирой.

Теперь, сидя на дачном участке в домике тети Лели спустя столько лет, Д. снова задалась вопросом, что же случилось с квартирой, это ведь было бы большое богатство для нее, стареющей библиотечной крысы, жить с отцом-матерью становилось невыносимо, они все трое сидели как в общей камере, в заколдованном тесном кругу своих двух комнат, причем старики имели обыкновение ругаться друг с другом, а Д. лежала на своем диване и грызла что-нибудь, глядя в телевизор.

Но квартира, видимо, пропала, мать с отцом куда-то вместе ездили после извещения о Леле, мрачные возвращались, Д. ни словечка. Что-то случилось с квартирой, если тетя Леля круглый год так и жила в этом почти картонном имении, в фанерных стенах, и не показывалась в Москве. Что-то случилось. Если бы отцу с матерью удалось что-либо получить, Д. сразу же узнала бы новость по их радости, по пению отца в кухне. Мать бы оказалась единственной наследницей тети-Лелиной квартиры, и Д. была почти уверена, что немедленно все было бы продано и положено на сберкнижку «на старость».

Кстати, сама Д., приехав с вокзала тогда, сразу сказала старикам, что получила от тетки Лели завещание в виде дачного домика, они ворохнулись, захотели участвовать, закипели, всполошились, но Д. твердо сказала, что тетя-то жива еще.

Когда же Леля померла в райбольнице и им позвонили, то одна Д. поехала в ту больницу, повезла деньги, которые заняла у подруги, но там, в глуши, все оказалось много дешевле, чем в городе, она заказала гроб, грузовик, яму, всё.

Когда она вернулась после того первого раза, родители куксились, роптали, скучали, как малые дети, но наконец не вытерпели и произнесли свой приговор: не поедем! Вообще не поедем! И летом туда не поедем! Хотя это не одной тебе, я тоже наследница, заявила мама, обижаясь заранее.

Отец заорал, что будет приезжать на дачу, когда захочется, это общая дача семьи, ничего ты не сделаешь, родного отца не выгонишь, на что Д. робко ответила: «Родного ли?» Мать вскрикнула, отец грубо выругался, обычная вещь, заурядный разговор.

Всё. Д. справилась одна, вернулась с кладбища автобусом до станции, проехала на электричке две остановки и отмахала лесом до «Лабиринта» три километра со своим рюкзачищем, открыла наспех приколоченную доской дверь (замок сорвали воры), вдохнула запах яблочной гнильцы, сырости, едкой пыли...

В рюкзаке Д. всю эту нелегкую дорогу волокла старые одеяла, подушку, бельишко, пару банок консервов и полбатона, какие-то опять же старые одежки для работы на участке — на похороны приехала с этим добром и у могилы стояла, держа рюкзак в ногах... Грузовик ушел сразу же, как только вытянули из него гроб, обратно пришлось шагать, ждать автобуса, опять мерить резиновыми сапожищами километры...

И вот теперь такая награда, чистый, теплый дом, батареи налиты горячей водой, горячая вода в чайнике, а выйдешь наружу — еще ледок на почве, холодный, свежайший воздух буквально щиплет горло не хуже газировки, захватывает дух от неба, тишины, месяца... Батон и консервы Д. умяла как мясорубка, на завтра оставались еще консервы, и что?

А было вот что: Д. обнаружила у тетки стеклянные банки с крупами, все они стояли в подполе, каждая такая банка (трехлитровая) была накрыта пустой консервной жестянкой, от крыс, и сверху придавлена булыжничком. Воры не нашли этот подпол, а там было много чего, варенья, соленья, они обнаружили другой, дверца в который была нещадно сорвана ломом, а в тот вел вход из-под шкафа, тетя Леля в свое время показала Д. эту тайну, тайничок.

Там же тетка хранила фарфоровую посуду, стопку тарелок, какие-то старозаветные молочник-сахарницу, затем новые половики, швейную машину, хорошо смазанную маслом, инструменты и какие-то ящики, надо будет посмотреть с гвоздодером.

Но это все Д. предусмотрительно опять задвинула шкафом, примерилась, походила и вдруг постелила себе на теткиной кровати.

Однако тут же она вспомнила про слова тети Лели о том, что под бочкой в саду закопана стеклянная банка с подарком, взяла лопату и вышла на воздух. Деньги за ту тетину квартиру?

Д. стала быстро представлять себе, как купит на эти деньги себе квартиру, не век же коротать жизнь в этой хибаре. Купит квартиру, мебель... Напишет Мише... Приезжай срочно связи изменениями жизни.

В бочке было уже до половины воды со льдом, пришлось вычерпать все ведром, завалить бочку, откатить ее и только потом взяться за раскопки. Сразу же звякнула лопата, и Д. вытащила из земли грязную баночку, пустую на вид, только на донышке что-то перекатывалось.

Открыв тут же, на воздухе, пластиковую крышку, Д. опрокинула баночку себе на ладонь и увидела то самое серебряное колечко со светло-коричневым камушком: было бы что прятать!

Тем не менее Д. сняла варежку и надела кольцо на безымянный палец правой руки.

И с этим орехово-коричневым кольцом она вышла на уже темнеющем закате в сад, подернутый первой зеленью, и открыла калитку.

Она остановилась под небом и стала радоваться, душа ее буквально расцвела, и долгие годы свободы и покоя встали перед Д., переливаясь как радуга.

И тут же Д. испугалась, услышав твердые шаги.

К ней приближался странный прохожий.

Он был в высоких кожаных сапогах, в странном полупальто и в барашковой шапке, а в руке у него была тонкая палочка. Как трость слепого.

Прохожий остановился и спросил у Д., не видела ли она тут другого такого же желтого дома. Там обитала такая красивая девушка одна, без родителей. Зовут Ольга.

Затем он помолчал и сказал Д., что вышел вслед за Ольгой, когда она вдруг куда-то исчезла, он бросился ее искать — и потерял даже дом. То есть что он пошел следом и плутает уже больше месяца.

«Больше месяца! — подумала Д. — Врет как!..»

— Я никого здесь не знаю, — чистосердечно ответила Д. и ушла, заперев калитку, и он удалился, а затем, убирая следы от своих раскопок и катя на место бочку, она опять увидела незнакомца, который двигался обратно, и вышла теперь к нему сама, и они стали обсуждать, что незнакомцу делать. То есть больше говорила сама Д., что можно идти на станцию три километра, два часа — и Москва. Надо посмотреть расписание. Должен быть еще один поезд.

Он же отвечал, что не из Москвы сюда приехал, в Москве и нет никого, уже нет.

Тут она лучше рассмотрела его: темное лицо, светлые, какие-то неземные глаза, которые все порывались смотреть вверх, как бы ища в светлых тоже небесах тот желтый дом, а может, ему было неудобно смотреть на толстую Д., румяную, здоровую, с растрепанной косой, с красными от ледяной воды руками, причем в старой куртке и замурзанных походных штанах.

Лицо у него было продолговатое, худощавое, со следами как бы неровного загара. Он был старше Д., то есть сорока с гаком лет, почти старик.

Он сказал, что ему показалось, что именно этот желтый дом ему нужен, ан опять дорога вывела не туда. Лабиринт какой-то.

— А это товарищество и называется так — «Лабиринт», — весело сказала Д. и пошла вместе с новым знакомым обходить дома и искать другое желтое строение.

Дачные поселки тут перетекали один в другой, шли десятками километров вдоль железной дороги, а новый знакомый не знал ничего, кроме «Ольга» и «М.».

Ночь все не наступала, Д. сама заблудилась в этой череде тихих песчаных улиц. Месяц сиял над садоводством, пели соловьи. Д. с трудом нашла даже свой дом, в окне которого мелькнул свет. «Родители приехали!» — с ужасом подумала Д. и неуклюже сказала бедному страннику:

— А теперь позвольте откланяться!

И побежала, мотая косой, к себе за калитку.

Он остался стоять за забором, постукивая стеком по голенищу, легкомысленное постукивание для потерявшегося в лабиринте, а Д. с тяжело бьющимся сердцем взошла на крыльцо и толкнула дверь — она была не заперта, но домик оказался пустым.

В комнате горела лампочка, совершенно не нужная при стойком свете заката, бившего в окна. Д. вспомнила, что действительно оставила свет на всякий случай, чтобы не заблудиться.

Палочка уже не постукивала нигде.

Д. разделась, натянула огромную тетину полотняную рубаху, легла. Вовсю свистел один соловей. Где-то, в мокрых сапогах, голодный и бездомный, бродил неприкаянный человек. Сердце Д. уже не билось так гневно, утихло, опасность налета на дом со стороны родителей миновала, по крайней мере на сегодня, и Д. буквально начало пощипывать чувство какой-то потери, утраты, щемящей жалости. Да, умерла тетя Леля. Но главное, что рядом, в ловушках улиц, ходит человек. Искать его уже бесполезно, тут ведь лабиринт! Здесь можно ходить параллельно месяцами.

И вдруг, лежа в тетиной кровати и глядя в рассеянном свете ночи на металлические шары, Д. услышала топот, как будто кто-то тяжело бежал к дому по проулку. Тяжело, но размеренно, вроде бегуна на длинные дистанции, топ, топ, топ, топ. Пробежав мимо, остановился и стоял. Затем стукнула калитка, неуверенные шаги приблизились.

— Простите, — воскликнул глухой голос, — это не М. здесь обитает?

— Нет опять! — закричала Д. — Сейчас! Не туда! — Она быстро напялила на себя брюки, свитер и куртку, все это поверх ночной рубахи, и выскочила наружу.

Никого не было.

Д. выглянула за калитку.

Слева вдали угадывался на перекрестке тот темный силуэт в барашковой шапке.

Д. стояла и не двигалась. Что делать? На дворе уже одиннадцатый час, несчастный человек бродит и бродит.

— Идите! — крикнула Д.

И увидела, что он как-то задвигается за угол, исчезает, как резная фигурка в тире.

— Минуту! Месье! — почему-то ляпнула Д. и смутилась. Какой месье? Он уже стоял рядом с ней, глядя в небо, где светил полным светом месяц.

— Месье, вы можете зайти ко мне хотя бы на чашку чая, — сказала Д., рассматривая его худое темное лицо.

Она пошла, он двинулся за ней, вошел в дом, вытер сапоги о мокрую тряпку, снял куртку, шапку, вымыл руки, вытер льняным тетиным полотенцем и сел за стол.

На нем был глухой черный сюртук, волосы лежали овечьей шерстью.

На безымянном пальце правой руки сиял прозрачный темный камень, точь-в-точь как у тети Лели, а теперь у Д.

Д. налила незнакомцу чаю, за вареньем пришлось бы лезть в тайник, отодвигать шкаф, и поэтому Д. сказала:

— Я только приехала, не обессудьте, ничего нет, никакой провизии.

— Я уже привык, — как-то с трудом ответил «месье» и стал жадно пить еле теплый чай.

Д. вдруг спохватилась и открыла банку консервов, это были какие-то дешевые частики в томате. «Месье» подождал, пока Д. выложила кучку рыбешек ржавого вида на блюдечко, и не спеша стал есть.

Д. пока что поставила чайник на плиту.

— А где Ольга? — спросил незнакомец.

— Вы не знаете? Я ее сегодня схоронила, — ответила Д.

— Боже! — откликнулся он и перекрестился.

— Вы ее знали?

— Я бывал тут. Я вам говорил: желтый дом, девушка Ольга М.

М.! Как раз у тети Лели была фамилия на «м»! Ольга!

Он ел медленно, с трудом шевеля челюстями, очень благородно. Худая рука держала алюминиевую вилку с неуловимой грацией. Он опирался запястьями на край столешницы. Из-под рукавов виднелись безукоризненно белые обшлага рубашки.

Д. вдруг застеснялась, удалилась в комнату, хотела переодеться, но было не во что, вместо этого она сняла с себя брюки и свитер и осталась в тетиной рубахе, большой, полотняной, с кружевцами у воротника.

И в таком виде, перекинув косу на грудь, она вошла в носках и села за стол.

А прохожий уже лежал на старом диване, ровно дышал, сложив руки на груди, крупные веки его были сомкнуты, но не плотно.

Д. вернулась в тетину комнату и принесла свое одеяло накрыть ему ноги.

Чайник вовсю кипел на плите.

Д. снова села за стол и стала смотреть на пришельца, все больше узнавая его.

— Александр Александрович, — сказала она, — я постелю вам в комнате, пока отдыхайте, а потом перейдете туда.

Она пошла, накрыла тахту чистым бельем, хорошо, что взяла с собой две смены, положила сверху свою подушку и последнее одеяло, больше было нечего.

«Сама укроюсь курткой, мало ли», — подумала Д.

У тети в тайнике имелось много всего по ящикам, завтра надо будет проветрить, подсушить, постирать. Может, обнаружатся еще белье и одеяло.

Затем Д. выключила чайник, погасила свет, заперла дверь, пошла к себе и на сон грядущий взяла с тетиного столика старую, отсыревшую книжку: Александр Блок. «Стихотворения».

И каждый вечер, в час назначенный
(Иль это только снится мне?),
Девичий стан, шелками схваченный,
В туманном движется окне.

И медленно, пройдя меж пьяными,
Всегда без спутников, одна,
Дыша духами и туманами,
Она садится у окна.

Глаза Д. были полны слез. Это ее несостоявшаяся судьба открылась, засияла вечерними огнями, повеяло тонким запахом духов, на голове плотно сидела легкая большая шляпа, платье лилового шелка шуршало в коленях, затянутое у пояса. Перчатки охватывали руки Д., зеркало отражало ее нежное, румяное лицо с большими ореховыми глазами, вьющиеся густые волосы под шляпой, блестящие коричневые брови, тонкие губы.

И веют древними поверьями
Ее упругие шелка,
И шляпа с траурными перьями,
И в кольцах узкая рука...

Напрасно сожгла все бумажки, думала Д., может, там были какие-то объяснения. Хотя какие должны быть объяснения? После того как Лелю увезли в больницу, Александр Александрович испугался, пропал, заблудился, но тетино кольцо сделало свое дело, он все-таки вышел спустя месяц к желтому дому, к тому дому, где лежала на ночном столике читаная-перечитаная книжка его стихов, к своему дому на Земле...

Где я была

К ак забыть это ощущение удара, когда от тебя уходит жизнь, счастье, любовь, думала женщина Юля, наблюдая в гостях, как ее муж сел и присох около почти ребенка, все взрослые, а эта почти ребенок. А потом он поднял ее и пошел с ней танцевать, а по дороге сказал своей сидящей Юле, показав глазами на девушку: «Гляди, какое чудо вымахало, я ее видел в шестом классе», — и радостно засмеялся. Дочка хозяев, действительно. Живет здесь. Как забыть, думала Юля на обратном пути в вагоне метро, когда пьяноватый муж (слуховой аппарат под видом очков) важно начал читать скомканную газету и вдруг смежил усталые глазенки под ярким светом. Ехали, приехали. Он сел с той же газетой в туалете и, видимо, заснул, пришлось его будить стуком, все было мелко, постыдно, а что в быту не постыдно, думала Юля. Муж храпел в кровати, как всегда когда выпьет. «Господи, — думала Юля, — ведь ушла жизнь, я старуха никому не нужная, за сорок с гаком, пропала моя судьба».

Утром Юля в одиночестве приготовила семейный завтрак и вдруг сообразила, что надо пойти куда-нибудь. Куда — в кино, на выставку, даже рискнуть в театр. Главное, с кем, одной идти как-то неловко. Юля обзвонила своих подруг, одна сидела обмотавшись теплым платком, болезнь называлась «праздник, который всегда с тобой», почки. Недолго поговорили. У другой никто не брал трубку, видимо, отключила телефон, третья собиралась уходить, стояла на пороге, заболела какая-то очередная престарелая родня. Эта подруга была одинокая, но всегда веселая, бодрая, святая. Мы не такие.

Можно было начать убираться, начальница на работе говорила: «Когда мне было плохо, вот когда диагноз поставили как у сестры, сразу после ее смерти, я пришла домой и взяла и стала мыть пол». Далее следовала история чудесной ошибки в диагнозе. А идея была такая: не сдаваться! Чистые полы!

Стирка, посуда, все раскидано после вчерашних сборов на этот противный день рождения у институтской подруги мужа. Убраться и потом думать, что никто ничего не делает, все одна только она. Муж встанет расставшийся после вчерашнего, будет смотреть на домашних неохотно, брюзжать, орать, вспоминать волшебное видение, дочь хозяев, а как же. Уйдет до ночи. Надо скрыться, скрыться куда-нибудь. Пусть сами раз в жизни. Больше нет сил.

И тут Юля вспомнила, а не поехать ли в то единственное место, где никогда не удивятся, примут и напоят чаем и выслушают, и даже постелят переночевать — то есть не поехать ли к старой дачной хозяйке, у которой жили много лет подряд, еще когда Настя была маленькая, а они с мужем Сережей надеялись на лучшее будущее. Эта дачная хозяйка была для Юли очень дорогим воспоминанием, при всех сложных отношениях с собственной матерью Юля привязалась к совершенно посторонней старушке, трогательному и мудрому существу. Она казалась Юле даже красивой, доброй и по-детски хитрой. Хотя эта баба Аня с собственной дочерью, в свою очередь, жила много лет в разводе, если можно так выразиться, — та не ездила к матери, гуляла на полную катушку, зато оставила бабке в наследство малолетнюю Маринку, забитое черноволосое существо, боящееся чужих людей.

Вот! Когда ты всеми заброшен, позаботься о других, посторонних, и тепло ляжет тебе на сердце, чужая благодарность даст смысл жизни. Главное, что будет тихая пристань! Вот оно! Вот что мы ищем у друзей!

Юля, вдохновленная, усмехнулась сама себе, быстро все прибрала, стараясь не разбудить домашних, и пошла рыться, искать мешок со старыми Настиными вещичками, которые специально собирала для бабы Ани, помня, что у старушки внучка растет безо всякой внешней помощи.

Юля нашла даже и кое-что для самой бабы Ани, теплую кофту, и через два часа уже бежала по привокзальной площади, едва не попав под машину (вот было бы происшествие, лежать мертвой, хотя и решение всех проблем, уход никому не нужного человека, все бы освободились, подумала Юля и даже на секунду оторопела, задержалась над этой мыслью), — и тут же, как по волшебству, она уже сходила с электрички на знакомой загородной станции и, таща на себе походный рюкзак, продвигалась знакомой улочкой от станции на окраину поселка, в сторону речки.

Воскресным октябрьским днем тут было пусто, светло, ветви уже оголились, воздух попахивал дымком, баней, несло молодым вином от палого листа, печальным уютом чужой жизни за заборами и немного почему-то кладбищем, в окнах уже теплились огни, хотя еще не стемнело. Тоска, простор, белые небеса, счастье прошлых лет, когда они с Сережей были молодые, когда являлись друзья сюда на дачу, все веселились, пили, жарили шашлыки над оврагом и т. д. Помогали бабе Ане, поскольку в ее большом доме вечно что-то текло, проваливалось, требовало молотка. В те годы можно было оставить бабе Ане на вечерок маленькую Настю, они подружились с молчаливой Маринкой. Баба Аня их укладывала спать, а Юля с Сережей ехали в город на чей-то день рождения, пили и пели до утра и могли вернуться только назавтра к вечеру, дочка была под присмотром, а баба Аня говорила — и в отпуск езжайте, я разве не пригляжу. И в отпуск поехали на две недели, на юг одни с Сережей. А бабе Ане тоже было хорошо, ей оставили деньги и продукты. Правда, когда вернулись, дочка Настя в тот же вечер от счастья тяжело заболела и лежала те же самые две недели. Весь отдых был забыт, и загар смылся, Юля не спала десять ночей, Настя чуть не помирала. Все на свете пребывает в равновесии, говорила себе Юля, идя с рюкзаком, говорила чуть ли не вслух.

Тропинка пружинила, тут почва сырая глина, так, теперь улица разветвляется, нам надо левей, мимо забора врачей. Так прозывались их соседи, действительно муж работал в санэпиднадзоре, и они по субботам выкачивали выгребную яму и поливали накопившимся добром свой сад, якобы преследуя экологически чистые цели (на самом деле чтобы не нанимать машину), и по окрестностям плыл смрад, какой всегда несется от натуральных органических удобрений. Такой же гнилой ветерок веял и сейчас (вот откуда запах кладбища).

Баба Аня в свое время смеялась над такой агрономией, она-то была специалист по зерну, работала в каком-то НИИ, даже ездила в командировки, и только выйдя на пенсию, тут, на природе, окрестьянилась, вернулась к языку нижегородских предков, клубнику упорно называла «глупнига» (второй вариант «виктория»), носила платок на голове и резиновые опорки на ногах, мочилась под кусты (вот это и удобрение!), и все у нее произрастало как от волшебного слова, само по себе. В сельской местности она поселилась давно, оставив городскую квартиру дочери, якобы чтобы ей не мешать (на самом деле это была гражданская война с разрухой для обеих сторон, чем всегда кончается гражданская война).

Юля успешно продвигалась по заросшей тропе, среди поредевшего черного бурьяна, тут вроде бы уже давно не ходили? Затем она сняла с калитки поржавевшее кольцо, употребляемое вместо щеколды, отогнала от забора отсыревшую калитку и радостно замахала в сторону дома, увидев, что занавеска на окне дрогнула.

Баба Аня дома! Она увидела Юлю и, наверно, обрадовалась, старушка всегда любила их семью.

Постучав в незапирающуюся дверь, Юля миновала холодные сени и бабахнула кулаком по холстине, которой баба Аня обшила вход в свои покои.

— Иду-иду, — отвечал глухой голосок бабы Ани.

Юля вошла в тепло, в запахи чужого дома, и сразу повеселела от этого милого духа.

— Ну здравствуйте, Бабаня! — воскликнула она чуть ли не со слезами. Приют, ночлег, тихая пристань встречала ее. Бабаня стала еще меньше ростом, ссохлась, глаза, однако, сияли в темноте.

— Я вам не помешала? — довольно спросила Юля. — Я вашей Мариночке привезла Настенькины вещи, колготки, рейтузики, пальтишко.

— Мариночки нет уже, — живо откликнулась Бабаня, — все, нету больше у меня.

Юля, продолжая улыбаться, ужаснулась. Холод прошел по спине.

— Иди, иди, — сказала Бабаня довольно ясно, — иди отсюда, Юля, уходи. Не нужно мне.

— Я вам тут привезла всего, накупила, колбасы, молока, сырку.

— Ну и забирай все. Не нужно. Забирай и уходи, Юля.

Бабаня говорила как всегда, тонким, приятным голоском, была в своем уме, но слова у нее были немыслимые.

— Что-то случилось, Бабаня?

— Да все нормально. Все нормально происходит. Иди отсюда.

Бабаня не могла так говорить! Юля стояла испуганная и оскорбленная и не верила своим ушам.

— Я чем-то обидела вас, Бабаня? Я не приезжала долго, да. Я-то вас все время помню, но жизнь...

— Жизнь и есть жизнь, — туманно сказала Бабаня. — Смерть смерть.

— Времени все нет...

— А у меня времени вагон, так что иди своей дорогой, Юля.

— Но я вам все оставлю тогда... Выложу... Чтобы обратно не тащить, Бабаня.

(Господи, что же стряслось?)

— И зачем, и зачем, — ясным, скандальным голосом спросила как бы себя Бабаня. — Мне ничего уже не надо. Всё. Я похоронена. Всё. Что мне надо? Крест на могилу.

— Что случилось, вы можете мне сказать? — надрывалась Юля.

Дом был теплый, и в коридоре, где разговаривали Юля и Бабаня, на полу лежали, как всегда, распластанные картонные ящики для чистоты. Дверь в комнатку Бабани стояла настежь, там позванивало, как комарик, радио, там были видны через оконные стекла деревья. Все осталось таким, как было всегда. А Бабаня сошла, видать, с ума. Случилось самое страшное, что может быть с живым человеком.

— Ну я и говорю тебе, я умерла.

— Давно? — машинально спросила Юля.

— Ну уж две недели как.

Ужас, ужас. Бедная Бабаня.

— Бабаня, а где девочка? Мариночка?

— Ну я не знаю, ее на похороны не водили, Света не забрала ее к себе, я надеюсь. Света была плохая, совсем нехорошая, то ли она продала уже квартиру, короче, оборвалась вся. На ногах болячки, трофические язвы, что ли, газетами обмотаны. Меня хоронил Дима. Она так болталась, рядом. Он ее шугал, Дима.

— Дима?

— Ну вот которого она бросила с Мариночкой годовалой, а сама ушла. Год Мариночке был. Дима, Дима. Он тогда Мариночку сдал в дом ребенка. Я забирала-то, не помнишь. Али я не рассказывала?

— Что-то помню.

— Или не рассказывала... Много вас тут ходит. Живут, уезжают, ни письма ни весточки. Умирала одна. Упала тут. Марина была в школе.

— Вот я приехала же!

— Дима меня хоронил, но просто сжег, а вазу эту еще оттуда не взял. Меня не похоронили. Я приехала сюда. Пока что я тут временно. Света совсем плохая, бомж, бомж. Она даже не соображает, что может жить тут, Дима ее пугнул из зала крематория, когда она начала свои ноги заново в газеты обертывать. В больницу в морг ко мне она как-то дорожку нашла. А из автобуса ступила, сукровица потекла, вид нехороший. Нашла газеты в урне. Света, я же знаю, надеялась, думала выпить на поминках. Дима ее как-то разыскал, но не знал, что она уже такая. Но я здесь недолго пробуду, до сорокового дня. Потом уже-то все, прощайте с Богом. Ну все, Юля, уходи.

— Бабаня! Это все у вас усталость. Вы отдохните! Ну хотите, я с вами поживу? Мариночку найду. Она когда пропала?

— Марина пропала? Нет, ты что. Когда я брякнулась, я сначала ничего не помнила, а потом уже, когда меня стали увозить, я видела только Диму. А где Марина была? И из морга он меня забирал.

— Дима, а как его фамилия?

— Мне неизвестно, — пробормотала себе под нос Бабаня. — Что ли Федосьев. Как у Мариночки фамилия. Она Федосьева. Дай Бог ему здоровья, батюшку привел на похороны. Никого больше не было, их двое, никому не сообщили, а кому сообщать, он не ведает. Свете сообщил и прогнал навеки. Вот все жду она придет. Небось помирает.

— Мне не сообщили, — внезапно сказала Юля.

— А кто ты? Юля, ты дачница много времени назад. Ты уже сколь лет как пропала, пять лет. Марине-то уже двенадцать! Только бы она не пришла, только бы не пришла!

Пять лет, вот это да! Уже Насте пятнадцать. Подросток. Уже пять лет они не снимают дачу! У той Настиной бабушки дом в городе Славянске на Кубани. Ледяная река. Девочка возвращается оттуда совершенно чужая, дикая, курящая. Уже очевидно женщина.

— Простите меня, Бабаня!

— Бог простит, он всех прощает. Иди отсюда, не задерживайся. И тряпье забирай. Сюда уже ходят нехорошие люди. Я всем открываю. Я уже никто.

— Это не тряпье, это хорошие вещи на ребенка. Шерстяные колготки, пальто, майки.

Юля говорила, убеждая Бабаню, что все нормально, что это просто каприз больной души, брошенной всеми души, как и в Юлином случае.

— Бабаня, а я-то к вам ехала как к последнему приюту на земле.

— Такого приюта на земле нету ни у кого. Каждый сам себе последний приют.

— Думала, что вы-то меня не погоните, примете. Думала переночевать у вас.

— Нельзя, ты что, Юля, я тебе говорю. Нельзя, меня нету.

— Еду привезла, поешьте.

— Потом съешь. Иди отсюда.

— Там холодно... Небо такое здесь, воздух... Бабаня! Я так к вам ехала!

Бабаня твердо ответила:

— Я беспокоюсь о Марине. Очень беспокоюсь, где она.

— Я поняла уже, поняла. Я разыщу ее.

— Света сюда идет, погибла, но еще жива. Если бы она умерла, то была бы здесь. Но я никого не хочу видеть, поняли? Оставьте меня в покое! Где Марина? Я не хочу ее видеть! Не желаю, ясно?

Бабаня явно заговаривалась. Хочу — не хочу. Стояла твердо, загораживая узким тельцем коридор.

Юля представила себе обратный путь с тяжелым рюкзаком, с этим хлебом, свертками, литром молока...

— Бабаня, можно я сяду у вас? Ноги болят. Что-то так ноги мои болят.

— Я еще раз говорю, иди с Богом! Уноси свои ноги покуда целы!

Юля пошла мимо нее как мимо пустого места в комнату и села на стул.

От соседей в открытую форточку еще сильней понесло смрадом.

Комната выглядела брошенной. На кровати лежал завернутый тюфяк. Этого никогда не случалось у аккуратной Бабани. Кровать она всегда стелила тщательно, водружала подушку уголком под кружевной накидкой. И этот проклятый запах!

— Поставьте чайник, Бабаня, пожалуйста.

— Да нет чайника, люди пришли унесли все! — все тем же хрустальным голоском отвечала из коридора Бабаня.

— А вода-то, вода-то есть?

— И, давно уже нету, вода только в колодце, а я не выхожу-то, — прозвучало в коридоре.

— Я сбегаю за водой? — предложила из комнаты Юля. — Вы давно чаю не пили?

— Я две недели с лишним как умерла.

— Ведро есть?

— И ведро унесли.

Юля собралась с духом, встала и потопала на кухню, и нашла там полнейшее запустение. Шкафчик был раскрыт настежь, на полу лежали битые стекла, валялась на боку мятая алюминиевая кастрюлька (в ней Бабаня варила кашу). Посреди стояла пустая жестяная банка, трехлитровая, из-под консервированной фасоли. Ее когда-то привез для какого-то праздника Сережа, не открыли, обошлись печеной картошкой, банку отдали Бабане на прокорм, уезжая осенью.

Юля взяла в руки банку.

— И забирай все свое!

— Куда я это поволоку за водой.

— Бери, бери! Сумочку возьми!

Юля послушно повесила через плечо сумку и пошла с банкой вон, на улицу к колодцу. Бабаня волокла следом за ней рюкзак, но наружу, в сени, почему-то не вышла, осталась за дверью.

Юлю встретил на пороге холод, свежий ветер повеял, везде был черный бурьян, качающий сухими семенами, полное запустение покинутого участка. Она поплелась к оврагу, где был ближний колодец. Всем давно провели водопровод, только сюда, к Бабане, его не дотянули, у такой хозяюшки не бывает средств.

Кругом в овраге лежал старый мусор, почти свалка, а на борове у колодца не оказалось ведра, была только намотана ржавая капроновая веревочка. Ведро скоммуниздили, как выражалась Бабаня.

Тут закружилась голова, и кругом все стало отчетливо, ослепительно белым — но только на мгновение. Так и не потеряв сознания, Юля нашла здоровенный кривой гвоздь, вытащила из земли обломок кирпича. Пробила в борту банки дыру, причем ранила указательный палец левой руки, высосала кровушку из ранки, нашла на склоне оврага свежий листик подорожника, приложила его к ссадине, потом кое-как привязала веревочку к банке, запустила ворот. Зачерпнула, подняла свое импровизированное ведрышко, развязала веревку на ледяной банке и потащила двумя руками подальше от себя, чтобы не замочиться, причем несла полную, помня только о Бабане, у которой в доме не было ни капли воды. Пошла наверх, вон из оврага. Путь был глинистый, тяжелый, с непривычки болели ноги, скорей даже онемели. Наверху Юля поставила банку на тропу и огляделась.

Забор у Бабани был реденький, из досочек, и дом отсюда, сверху, просматривался прекрасно. Занавесок на окнах уже не было! Юля почувствовала леденящий страх, темный страх здорового человека перед сумасшествием, которое может сорвать занавески с четырех окон за семь-восемь минут.

Несмотря на это, Бабаню надо было накормить и хотя бы напоить. Вызвать врачей. Запереть дом. Найти как-нибудь Марину, Свету или Диму Федосьева. Кому тут жить, Свете беспризорной, наследнице, которая прогудит дом во мгновение ока, или тоже бездомной Мариночке, это не нам решать. Мариночку надо взять! Вот так. Такой теперь план жизни, раз уж ввязалась. Тебе хотелось уйти, вот и ушла от своей жизни и попала в чужую. Нигде не пусто, всюду эти одинокие. Сережа и Настя будут против. Сережа промолчит, Настя скажет, еще новости, ты, мама, вообще куку. Юлина мать поднимет по телефону большую волну.

Юля стояла, тяжело размышляя, понимая, что надо идти, но ноги как налились чугуном и не хотели слушаться, не хотели нести на себе три литра ледяной воды в разграбленный дом к сумасшедшей старухе, к новым тяготам жизни. Резкий ветер подул на горку, где стояла, окаменев, домашняя женщина Юля, стояла как бездомная, нищая, с единственным имуществом у ног, трехлитровой жестяной банкой воды. Резкий ветер подул, загремели черные скелеты деревьев, нарастал далекий шум, и явился арбузный запах зимы. Было холодно, зябко, явственно темнело, тут же захотелось перенестись домой, к теплому, пьяноватому Сереже, к живой Насте, которая уже проснулась, лежит в халате и ночной рубашке смотрит телевизор, ест чипсы, пьет кока-колу и названивает друзьям. Сережа сейчас уйдет к школьному дружку. Там они выпьют. Воскресная программа, пускай. В чистом, теплом обыкновенном доме. Без проблем.

Юля взяла банку обеими руками и понесла ее вниз, к Бабане, но не удержалась и поехала по глине, расплескав половину воды на себя. О Господи! Ноги болели уже довольно сильно.

Но дверь у Бабани оказалась запертой, и никто не открыл Юле, хотя она била даже больными ногами и кричала как оглашенная.

Кто-то над ней явственно, очень быстро пробормотал: «Кричит».

Однако Юля знала другой путь, по приставной лестнице на чердак, и оттуда через проем, по вырубкам в стене, можно спуститься на террасу, так они не раз влезали ночью в дом, если не могли найти ключей, они с Сережей.

Банку Юля оставила у дверей.

Там, в доме, сидела обезумевшая Бабаня, без воды, да и еду она бы не смогла добыть из застегнутого рюкзака с такими-то умственными данными. Что же происходит с человеком, как он теряет все — умное, доброе, прекрасное существо становится опасливой глупой зверушкой...

Юля с трудом достала тяжеленную лестницу из-под дома, установила ее, полезла по трухлявым перекладинам, рухнула с третьей, совсем разбила ноги (сломала?). Со стоном поднялась, все-таки влезла на крышу, ведь умудрилась и руки повредить, и бока болели, голова, на один момент даже открылось опять какое-то далекое белое пространство (бред, но он быстро прошел) — затем она еле проволоклась по пыльному чердаку и спустилась на веранду, тяжелейший путь. Дверь с веранды в дом оказалась закрытой тоже. Видимо, с той стороны предусмотрительная Бабаня наладила крючок, боясь воров.

Хорошо.

Юля заплакала и забарабанила кулаком в дверь, крича:

— Анна Сергеевна! Але! Это я, Юля! Юля! Пустите меня!

Постояв и послушав в мертвой тишине (только где-то как бы посыпалось что-то, как земля, струйкой), Юля сказала:

— Хорошо, я ухожу, вода у вас под дверью в банке. Хлеб и сыр в большом клапане рюкзака впереди. И колбаса там же.

Обратный путь по зарубкам вверх был еще тяжелей, руки не слушались, цепляясь за зарубки, а спускалась Юля уже в полубреду, неизвестно как миновав сгнившую перекладину... Белый свет сверкал сквозь сумерки, белые пространства обморока.

Добравшись до станции, она села на ледяную скамью. Было дико холодно, ноги закаменели и болели как раздавленные. Поезд долго не приходил. Юля легла скрючившись. Все электрички проскакивали мимо, на платформе не было ни единого человека. Уже капитально стемнело.

И тут Юля проснулась на каком-то ложе. Опять открылось (вот оно!) бескрайнее белое пространство, как снега кругом. Юля застонала и перевела взгляд к горизонту. Там оказалось окно, наполовину заслоненное голубой шторой. В окне стояла ночь и сияли далекие фонари. Юля лежала в огромной темной комнате с белыми стенами под одеялом как под грудой развалин. Правая рука не поднималась, придавленная каким-то грузом. Юля подняла левую руку и стала разглядывать ее. Рука была бледная до прозрачности. На указательном пальце темнела большая ссадина. Это она хватила по пальцу кирпичом, когда пробивала банку гвоздем там, у дома Бабани. Но ссадина уже почти что зажила.

— Где я была? — произнесла Юля громко. — Эй! Алле! Бабаня! А-аа!

Она попыталась приподняться. Но эффект был нулевой. Страшно болели ноги, вот это уж действительно. И резало в низу живота.

Никого не было.

Все-таки она приподнялась, опершись на правую руку, и осмотрелась.

Это была кровать, и от нее вниз отходила полупрозрачная трубочка.

Катетер! Ей вставили катетер! Как умиравшей бабушке когда-то в больнице. Это и есть больница. Рядом стояла еще кровать с какой-то неподвижной грудой белого.

— Алле! Ой! Ура! Спасите! — закричала Юля. — Бабаню спасите! Марину Федосьеву!

Груда белого на соседней кровати зашевелилась.

Вошла заспанная медсестра в белом халате.

— Вы что орете, тише, — приговаривала она на ходу. — Тише. Перебудите всех.

— Где это? — плакала Юля. — Дайте встать! Марина Федосьева, ищите ее. Мне надо встать!

— Встанете, встанете, больная. Раз вы... раз вы пришли в сознание, тогда...

Она ушла и вернулась со шприцом. Пока делали укол, Юля мучительно вспоминала.

— Что со мной, сестра, прошу вас.

— Что с вами, переломы ног, руки, малого таза. Лежите уж. Завтра муж придет, дочь придет, мама, всё расскажут. Сотрясение мозга. Очнулась — уже хорошо. А то они всё ходят, всё сидят бестолку. Ноги чувствуют?

— Болят.

— И хорошо.

— А где, где? Что произошло?

— Под машину вы попали, не помните? Спите, спите, под машину попали.

Юля изумилась, охнула, и тут ее накрыло, и она опять пыталась достучаться до Бабани, все хотела напоить ее. Был сумрачный октябрьский вечер, стеклышки на террасе дребезжали от ветра, болели усталые ноги и разбитая рука, но Бабаня не желала, видимо, ее принимать. А потом с той стороны стекла появились хмурые, жалкие, залитые слезами лица родных — мамы, Сережи и Насти. И Юля все им пыталась сообщить, чтобы поискали Марину Федосьеву Дмитриевну, Дмитриевну Бабаню, что-то так. Ищите, ищите, говорила она, не плачьте, я тут.

Глюк

О днажды, когда настроение было как всегда по утрам, девочка Таня лежала и читала красивый журнал.
Было воскресенье.

И тут в комнату вошел Глюк. Красивый как киноартист (сами знаете кто), одет как модель, взял и запросто сел на Танину тахту.

— Привет, — воскликнул он, — привет, Таня!

— Ой, — сказала Таня (она была в ночной рубашке). — Ой, это что.

— Как дела, — спросил Глюк. — Ты не стесняйся, это ведь волшебство.

— Прям, — возразила Таня. — Это глюки у меня. Мало сплю, вот и все. Вот и вы.

Вчера они с Анькой и Ольгой на дискотеке попробовали таблетки, которые принес Никола от своего знакомого. Одна таблетка теперь лежала про запас в косметичке, Никола сказал, что деньги можно отдать потом.

— Это неважно, пусть глюки, — согласился Глюк. — Но ты можешь высказать любое желание.

— И что?

— Ну ты сначала выскажи, — улыбнулся Глюк.

— Ну... Я хочу школу кончить... — нерешительно сказала Таня. — Чтобы Марья двойки не ставила... Математичка.

— Знаю, знаю, — кивнул Глюк.

— Знаете?

— Я все про тебя знаю. Конечно! Это ведь волшебство.

Таня растерялась. Он все про нее знает!

— Да не надо мне ничего, и вали отсюда, — смущенно пробормотала она. — Таблетку я нашла на балконе в бумажке кто-то кинул.

Глюк сказал:

— Я уйду, но не будешь ли ты жалеть всю жизнь, что прогнала меня, а ведь я могу исполнить твои три желания! И не трать их на ерунду. Математику всегда можно подогнать. Ты ведь способная. Просто не занимаешься, и все. Марья поэтому поставила тебе парашу.

Таня подумала: действительно, этот глюк прав. И мать так говорила.

— Ну что, — сказала она. — Хочу быть красивой?

— Ну не говори глупостей. Ты ведь красивая. Если тебе вымыть голову, если погулять недельку по часу в день просто на воздухе, а не по рынку, ты будешь красивей чем она (сама знаешь кто).

Мамины слова, точно!

— А если я толстая? — не сдавалась Таня. — Катя вон худая.

— Ты толстых не видела? Чтобы сбросить лишние три килограмма, надо просто не есть без конца сладкое. Это ты можешь! Ну, думай!

— Сережка чтобы... ну, это самое.

— Сережка! Зачем он нам! Сережка уже сейчас пьет. Охота тебе выходить замуж за алкаша! Ты посмотри на тетю Олю.

Да, Глюк знал все. И мать о том же самом говорила. У тети Оли была кошмарная жизнь, пустая квартира и ненормальный ребенок. А Сережка действительно любит выпить, а на Таню даже и не глядит. Он, как говорится, «лазит» с Катей. Когда их класс ездил в Питер, Сережка так нахрюкался на обратном пути в поезде, что утром его не могли разбудить. Катя даже его била по щекам и плакала.

— Ну вы прям как моя мама, — сказала, помолчав, Таня. — Мать тоже базарит так же. Они с отцом кричат на меня, как больные.

— Я же хочу тебе добра! — мягко сказал Глюк. — Итак, внимание. У тебя три желания и четыре минуты остается.

— Ну... Много денег, большой дом на море... и жить за границей! — выпалила Таня.

Чпок! В ту же секунду Таня лежала в розовой, странно знакомой спальне. В широкое окно веял легкий приятный морской ветерок, хотя было жарко. На столике лежал раскрытый чемодан, полный денег.

«У меня спальня как у Барби!» — подумала Таня. Она видела такую спальню на витрине магазина «Детский мир».

Она поднялась, ничего не понимая, где тут что. В доме оказалось два этажа, везде розовая мебель как в кукольном доме. Мечта! Таня ахала, изумлялась, попрыгала на диване, посмотрела что в шкафах (ничего). На кухне стоял холодильник, но пустой. Таня выпила водички из-под крана. Жалко, что не подумала сказать «чтобы всегда была еда». Надо было добавить «и пиво» (Таня любила пиво, они с ребятами постоянно покупали баночки. Денег только не было, но Таня их брала иногда у папы из кармана. Мамина заначка тоже была хорошо известна. От детей ничего не спрячешь!). Нет, надо было вообще сказать Глюку так: «И все что нужно для жизни». Нет, «для богатой жизни!» В ванной находилась какая-то машина, видимо, стиральная. Таня умела пользоваться стиралкой, но дома была другая. Тут не знаешь ничего, где какие кнопки нажимать.

Телевизор в доме был, однако Таня не смогла его включить, тоже были непонятные кнопки.

Затем надо было посмотреть что снаружи. Дом, как оказалось, стоял на краю тротуара, не во дворе. Надо было сказать: «с садом и бассейном». Ключи висели на медном крючке в прихожей, у двери. Все предусмотрено!

Таня поднялась на второй этаж, взяла чемоданчик денег и пошла было с ним на улицу, но обнаружила себя все еще в ночной рубашке.

Правда, это была рубашка типа сарафанчика, на лямочках.

На ногах у Тани красовались старые шлепки, еще не хватало!

Но приходилось идти в таком виде.

Дверь удалось запереть, ключи девать было некуда, не в чемодан же с деньгами, и пришлось оставить их под ковриком, как иногда делала мама. Затем, напевая от радости, Таня побежала куда глаза глядят. Глаза глядели на море.

Улица кончалась песчаной дорогой, по сторонам виднелись маленькие летние домики, затем развернулся большой пустырь. Сильно запахло рыбным магазином, и Таня увидела море.

На берегу сидели и лежали, прогуливались люди. Некоторые плавали, но немногие, поскольку были высокие волны.

Таня захотела немедленно окунуться, однако купальника на ней не было, только белые трусики под ночной рубашкой, в таком виде Таня красоваться не стала и просто побродила по прибою, уворачиваясь от больших волн и держа в одной руке тапки, в другой чемоданчик.

До вечера голодная Таня шла и шла по берегу, а когда повернула обратно, надеясь найти какой-нибудь магазин, то перепутала местность и не смогла найти тот пустырь, откуда вела прямая улица до ее дома.

Чемодан с деньгами оттянул ей руки. Тапки намокли от брызг прибоя.

Она села на сыроватый песок, на свой чемоданчик. Солнце заходило. Страшно хотелось есть и особенно пить. Таня ругала себя последними словами, что не подумала о возвращении, вообще ни о чем не подумала — надо было найти сначала хоть какой-нибудь магазин, что-то купить. Еду, тапочки, штук десять платьев, купальник, очки, пляжное полотенце. Обо всем у них дома заботились мама и папа, Таня не привыкла планировать, что есть, что пить завтра, что надеть, как постирать грязное и что постелить на кровать.

В ночной рубашке было холодно. Мокрые шлепки отяжелели от песка.

Надо было что-то делать. Берег уже почти опустел.

Сидела только пара старушек да вдали вопили, собираясь уходить с пляжа, какие-то школьники во главе с тремя учителями.

Таня побрела в ту сторону. Нерешительно она остановилась около кричащих, как стая ворон, детей. Все эти ребята были одеты в кроссовки, шорты, майки и кепки, и у каждого имелся рюкзак. Кричали они по-английски, но Таня не поняла ни слова. Она учила в школе английский, да не такой.

Детки пили воду из бутылочек. Кое-кто, не допив драгоценную водичку, бросал бутылки с размаху подальше. Некоторые, дураки, кидали их в море.

Таня стала ждать, пока галдящих детей уведут.

Сборы были долгие, солнце почти село, и наконец этих воронят построили и повели под тройным конвоем куда-то вон. На пляже осталось несколько бутылочек, и Таня бросилась их собирать и с жадностью допила из них воду. Потом побрела дальше по песку, все-таки вглядываясь в прибрежные холмы, надеясь увидеть в них дорогу к своему дому.

Внезапно опустилась ночь. Таня, ничего не различая в темноте, села на холодный песок, подумала, что лучше сесть на чемоданчик, но тут вспомнила, что оставила его там, где сидела перед тем!

Она даже не испугалась. Ее просто придавило это новое несчастье. Она побрела, ничего не видя, обратно.

Она помнила, что на берегу оставались еще две старушки.

Если они еще сидят там, то можно будет найти рядом с ними чемоданчик.

Но кто же будет сидеть холодной ночью на сыром песке!

За песчаными холмами давно горели фонари, и из-за этого на пляже было совсем уже ничего не видно. Тьма, холодный ветер, ледяные шлепки, тяжелые от мокрого песка.

Раньше Тане приходилось терять многое — самые лучшие мамины туфли на школьной дискотеке, шапки и шарфы, перчатки бессчетно, зонтики уже раз десять, а деньги вообще считать и тратить не умела. Она теряла книги из библиотеки, учебники, тетрадки, сумки.

Еще недавно у нее было все — дом и деньги. И она все потеряла.

Таня ругала себя. Если бы можно было начать все сначала, она бы, конечно, крепко подумала. Во-первых, надо было сказать: «Пусть все, что я захочу, всегда сбывается!» Тогда бы сейчас она могла бы велеть: «Пусть я буду сидеть в своем доме, с полным холодильником (чипсы, пиво, горячая пицца, гамбургеры, сосиски, жареная курица). Пусть по телику будут мультики. Пусть будет телефон, чтобы можно было пригласить всех ребят из класса, Аньку, Ольгу, да и Сережку!» Потом надо было бы позвонить папе и маме. Объяснить, что выиграла большой приз, поездку за границу. Чтобы они не беспокоились. Они сейчас бегают по всем дворам и всех уже обзвонили. Наверное, и в милицию подали заявление, как месяц назад родители хиппи Ленки по прозвищу Бумажка, когда она уехала в Питер автостопом.

А вот теперь в одной ночной рубашке и в сырых шлепках приходится в полной тьме блуждать по берегу моря, когда дует холодный ветер.

Но уходить с пляжа нельзя, может быть, утром повезет первой увидеть свой чемоданчик.

Таня чувствовала, что стала гораздо умней, чем была утром, при разговоре с Глюком. Если бы она оставалась такой же дурой, то давно бы уже покинула это проклятое побережье и побежала бы туда где теплей. Но тогда бы не оставалось надежды найти чемоданчик и улицу, где стоял родной дом...

Таня была полной дурой еще три часа назад, когда даже не посмотрела ни номер своего дома, ни названия улицы!

Она стремительно умнела, но есть хотелось до обморока, а холод пронизывал всю ее до костей.

В этот момент она увидела фонарик. Он быстро приближался, как будто это была фара мотоцикла — но без шума.

Опять глюки. Да что же это такое!

Таня замерла на месте. Она знала, что находится в совершенно чужой стране и не сможет найти защиты, а тут этот страшный бесшумный фонарик.

Она свернула и потрюхала в своих тяжелых, как утюги, шлепках по кучам песка к холмам.

Но фонарик оказался рядом, слева. Голос Глюка сказал:

— Вот тебе еще три желания, Танечка. Говори!

Таня, теперь уже умная, хрипло выпалила:

— Хочу, чтобы всегда мои желания исполнялись!

— Всегда? — спросил голос как-то загадочно.

— Всегда! — ответила, вся дрожа, Таня.

Откуда-то очень сильно воняло гнилью.

— Только есть один момент, — произнес Невидимый с фонариком. — Если ты захочешь кого-нибудь спасти, то на этом твое могущество кончится. Тебе уже ничего никогда не достанется. И тебе самой придется худо.

— Да никого я не захочу спасти, — сказала, трясясь от холода и страха, Таня. — Не такая я добренькая.

— Ну говори свое желание, — произнес голос, и запахло еще и отвратительным дымом. Гниль и дым, как на помойке.

— Хочу оказаться в своем доме с полным холодильником, и чтобы все ребята из класса были, и телефон позвонить маме.

И тут же она в чем была — в мокрых тапочках и ночной рубашке оказалась, как во сне, у себя в новом доме в розовой спальне, а на кровати, на ковре и на диване сидели ее одноклассники, причем Катя с Сережей на одном кресле.

На полу стоял телефон, но Таня не спешила по нему звонить. Ей было весело! Все видели ее новую жизнь!

— Это твой дом? — галдели ребята. — Круто! Класс!

— И прошу всех на кухню! — сказала Таня.

Там ребята открыли холодильник и стали играть в саранчу, то есть уничтожать все припасы в холодном виде. Таня пыталась подогреть что-то, какие-то пиццы, но плита не зажигалась, кнопки не срабатывали. Потребовалось еще мороженое, пиво, Сережка попросил водки, мальчики сигарет.

Таня потихоньку, отвернувшись, пожелала себе быть самой красивой и все то, что заказали ребята. Тут же за дверью кто-то нашел второй холодильник, тоже полный.

Таня сбегала в ванную и посмотрела на себя в зеркало. Волосы стали кудрявыми от морского воздуха, щеки были как розы, рот пухлый и красный без помады. Глаза сияли не хуже фонариков. Даже ночная рубашка выглядела как кружевное вечернее платьице! Класс!

Но Сережка как сидел с Катей, так и сидел. Катя тихо ругалась с ним, когда он открыл бутылку и стал отпивать из горлышка.

— Ой, ну что ты его воспитываешь, воспитываешь! — воскликнула Таня. — Он же тебя бросит! Я все всем разрешаю! Просите чего хотите, ребята! Слышишь, Сережка? Проси у меня что хочешь, я тебе все разрешаю!

Все ребята были в восторге от Тани. Антон подошел, поцеловал Таню долгим поцелуем, как ее еще никто в жизни не целовал.

Таня торжествующе посмотрела на Катю. Они все еще сидели на одном кресле, но уже отвернулись друг от друга.

Антон спросил на ухо, нет ли травки покурить, Таня принесла папироски с травой, потом Сережка заплетающимся языком сказал, что есть такая страна, где свободно можно купить любой наркотик, и Таня ответила, что именно здесь такая страна, и принесла полно шприцов. Сережка с лукавым видом сразу схватил себе три, Катя пыталась вырвать их у него, но Таня постановила — пусть Сережка делает что хочет.

Катя замерла с протянутой рукой, не понимая, что происходит.

Таня чувствовала себя не хуже королевы, она могла все.

Если бы они попросили корабль или полететь на Марс, она бы все устроила. Она чувствовала себя доброй, веселой, красивой.

Она не умела колоться, ей помогли Антон и Никола. Было очень больно, но Таня только смеялась. Наконец у нее было множество друзей, все ее любили! И наконец она была не хуже других, то есть попробовала уколоться и не испугалась ничего!

Закружилась голова.

Сережка странно водил глазами по потолку, а неподвижная Катя злым взглядом смотрела на Таню и вдруг сказала:

— Я хочу домой. Мы с Сережей должны идти.

— А что ты за Сережу выступаешь? Иди одна! — еле ворочая языком, сказала Таня.

— Нет, я должна вернуться вместе с ним, я обещала его маме! — крикнула Катя.

Таня проговорила:

— Тут я распоряжаюсь. Поняла, гнида? Иди отсюда!

— Одна я не уйду! — пискнула Катя и стала смотреть, не в силах шевельнуться, на совершенно бесчувственного Сережку, но быстро растаяла, как ее писк. Никто ничего не заметил, все валялись по углам, на ковре, на Таниной кровати как тряпичные куклы. У Сережки закатились глаза, были видны белки.

Таня залезла на кровать, где лежали и курили Ольга, Никола и Антон, они ее обняли и укрыли одеялом. Таня была все еще в своей ночной рубашке, в кружевах, как невеста.

Антон стал говорить что-то, лепетать типа «не бойся, не бойся», зачем-то непослушной рукой заткнул Тане рот, позвал Николу помочь. Подполз и навалился пьяный Никола. Стало нечем дышать, Таня начала рваться, но тяжелая рука расплющила ее лицо, пальцы стали давить на глаза... Таня извивалась, как могла, и Никола прыгнул на нее коленями, повторяя, что сейчас возьмет бритву... Это было как страшный сон. Таня хотела попросить свободы, но не могла составить слова, они ускользали. Совсем не было воздуха и трещали ребра.

И тут все вскочили с мест и обступили Таню, кривляясь и хохоча. Все открыто радовались, разевали рты. Вдруг у Аньки позеленела кожа, выкатились и побелели глаза. Распадающиеся зеленые трупы окружили кровать, у Николы из открытого рта выпал язык прямо на Танино лицо. Сережа лежал в гробу и давился змеей, которая ползла из его же груди. И со всем этим ничего нельзя было поделать. Потом Таня пошла по черной горячей земле, из которой выпрыгивали языки пламени. Она шла прямо в раскрытый рот огромного, как заходящее солнце, лица Глюка. Было нестерпимо больно, душно, дым разъедал глаза. Она сказала, теряя сознание: «Свободы».

Когда Таня очнулась, дым все еще ел глаза. Над ней было небо со звездами. Можно было дышать.

Вокруг нее толпились какие-то взрослые люди, сама она лежала на носилках в разорванной рубашке. Над ней склонился врач, что-то ее спросил на иностранном языке. Она ничего не поняла, села. Ее дом почти уже сгорел, остались одни стены. На земле вокруг лежали какие-то кучки, накрытые одеялами, из-под одного одеяла высовывалась черная кость с обугленным мясом.

— Хочу понимать их язык, — сказала Таня.

Кто-то рядом говорил:

— Тут двадцать пять трупов. Соседи сообщили, что это недавно построенный дом, здесь никто не жил. Врач утверждает, что это были дети. По остаткам несгоревших костей. Найдены шприцы. Единственная оставшаяся в живых девочка ничего не говорит. Мы ее допросим.

— Спасибо, шеф. Вам не кажется, что это какая-то секта новой религии, которая хотела массово покончить с собой? Куда завлекли детей?

— Пока я не могу ответить на ваш вопрос, мы должны снять показания с девочки.

— А кто владелец этого дома?

— Мы все будем выяснять.

Кто-то энергично сказал:

— Какие негодяи! Загубить двадцать пять детей!

Таня, трясясь от холода, произнесла на чужом языке:

— Хочу, чтобы все спаслись. Чтобы все было как раньше.

Тут же раскололась земля, завоняло немыслимой дрянью, кто-то взвыл как собака, которой наступили на лапу.

Потом стало тепло и тихо, но очень болела голова.

Таня лежала у себя в кровати и никак не могла проснуться.

Рядом валялся красивый журнал.

Вошел отец и сказал:

— Как ты? Глаза открыты.

Он потрогал ее лоб и вдруг открыл занавески, а Таня закричала, как всегда по воскресеньям: «Ой-ой, дайте поспать раз в жизни!»

— Лежи, лежи, пожалуйста, — мирно согласился отец. — Вчера еще температура сорок, а сегодня кричишь как здоровая!

Таня вдруг пробормотала:

— Какой страшный сон мне приснился!

А отец сказал:

— Да у тебя был бред целую неделю. Мама тебе уколы делала. Ты на каком-то языке даже говорила. Эпидемия гриппа, у вас целый класс валяется, Сережка вообще в больницу попал. Катя тоже без сознания неделю, но она раньше всех заболела. Говорила про вас, что все в каком-то розовом доме... Бред несла. Просила спасти Сережу.

— Но все живы? — спросила Таня.

— Кто именно?

— Ну весь наш класс?

— А как же, — ответил отец. — Ты что!

— Какой страшный сон, — повторила Таня.

Она лежала и думала, что в косметичке, которая была спрятана в рюкзаке, находится таблетка с дискотеки, за которую надо отдать Николе деньги...

Ничего не кончилось. Но все были живы.

Кредо

Не помню, когда мне об этом сказала Роберта — что придет в гости одна женщина, у которой только что умерла внучка. А эта женщина, практически нам не знакомая, должна была прийти проститься к Роберте, так как Роберта назавтра улетала. Поэтому Роберта предупредила меня и Клаудию о том, что придет такая женщина, у которой умерла внучка. Сразу, с первого момента, как только они вошли с Тимом.

Клаудия и Тим, друзья Роберты, вошли, поясняю. А мы тут сидели, я и Роберта, любовница Тима.

Чтобы как следует разобраться в обстановке: это была гостиница, дешевая гостиница для иностранцев в студенческом общежитии. Номер маленький, в нем огромная кингсайз (королевский размер) тахта (Робертина), маленький письменный столик и два кресла. В одном сидела грузная Роберта, в другом я, подруга Роберты раз в год, когда ее привозят. Университет Пьентамоники гордится Робертой, замечу на будущее.

Тут же сидела сотрудница Роберты, седая крепкая Джоанна, босая. Сидела с ногами на тахте, демонстрируя миру необработанные грязные пятки в шелухе (высший шик, экологически оправданное следование природе, где животные не стригутся и не чистят копыт). Джоанна была аспиранткой и следовала за профессором Робертой как тень, помогала ей во всем, иногда в роли простой сиделки.

Мы в комнатушке находились очень близко друг к другу, в довершение прямо на самом ходу торчали ходилки Роберты, такой манежик на колесах, в котором было еще и укреплено почти велосипедное седло, на случай, если инвалид не сможет больше стоять.

Роберта глубокий инвалид. У нее постепенный распад. Сначала отказывают ноги. Пока что она еще ходит и раз в год приезжает к нам. Она приезжает и к Тиму в Нижний Новгород. А потом они вместе едут в Москву, мы снимаем для Роберты квартиру, или, вот как сейчас, ей достается бесплатный номер в общежитии, когда она привозит студентов.

После маленькой Пьентамоники, где Роберта профессор по проблемам русской ташистики (плюс она еще и профессор-лингвист, семиотика там и структурный анализ в приложении к архаическим формам предвидения, мне этого не понять, я как раз объект изучения), — после этого итальянского благоустроенного захолустья Роберта попадает в условия Москвы, где для инвалида нет ничего. Нет возможности подняться по ступеням общежития, например.

Но Роберта, ею недаром гордятся пьентамоникане, она полна благородной выдержки. Она не боится ничего. Она горит. Она движется по миру. Ею руководит, ее ведет одна мысль, что она встретит Тима.

Тимофей Гаврилович, доцент, прошу любить и жаловать, вот он пришел, его лицо в дверях, с ним Клаудия, существо небесного изящества.

И сразу они получают тихо информацию, что повидать Роберту едет женщина, у которой умерла внучка. Роберта завтра улетает, другого времени у нее встретиться не будет. Может, его больше у Роберты не будет как такового, я в будущее не внедряюсь, у меня заслонка. Не хочу знать.

Вообще-то Тим должен по распорядку остаться ночевать у Роберты. Раз в год у них медовые промежутки. Долго ли, коротко ли они живут вместе — зависит от Тима. Иногда это длится недели две, иногда месяц. Но завтра Роберта улетает, а Тим приехал только сейчас и вечером, и с Клаудией. Кроме того, надо ждать ту женщину, у которой беда.

Как только мы это сообщаем, Клаудия начинает тосковать. Мы-то с Джоанной уже пережили будущий приход несчастной сироты. Роберта тогда увидела это на наших лицах, но, мудрейшее существо, никак не отреагировала. Та женщина уже шла сюда. А Роберта ждала Тима — поздороваться и попрощаться. Она не допускала мысли, что навсегда.

Клаудия шепчет, что вообще-то ей надо быть в одном месте. Клаудия что, она почти не знает Роберту. Она подруга Тима. Не в том смысле, а в прямом: друг и сотрудник. Тим ее ввел в проект на итальянские деньги, которые достала Роберта, кстати. У Тима в его универе этот проект работает совместно с Пьентамониканским универом, а Клаудия там как и я, на тех же началах. Объект.

На самом деле Клаудию зовут как-то по-другому, не знаю. Я восхищаюсь ее достижениями, у нее это псевдоним. Бренд. Клаудия. Ее все знают. У меня бренда нет пока еще, я не хочу случайно подвернувшейся публики, надеюсь завоевать свою закрытую аудиторию — как раз с помощью проекта Тима и Роберты.

Тим набрел на тему десять лет назад в связи с болезнью, которой хворает Роберта. Когда-то они встретились на одном семинаре, впоследствии он хотел ее поставить на ноги, вылечить, поднять, когда она еще ходила, но уже плохо владела движениями, а он месяцами жил у нее в старом монастыре брунонианцев. Она себе купила развалюху, руину 17 века, и сделала там музей-квартиру, у нее собраны античные амфоры с окрестных огородов, обломки фризов и т. д., все то, что вылезает из этой их земли после ливней и вспашки (как вылезают у нас на северных полях всё новые камни и валуны ледникового периода. Земля рожает из себя инородные тела).

А в бывшем храме Роберты, под плитами первого этажа, в шестиметровом в глубину подвале, куда можно заглянуть через открывающийся люк, там сохранялись Робертой мощи брунонианцев, проще говоря, валялись черепа и кости. Запаха не замечалось. Мощи, видимо, были нетленные, как говорится.

Над склепом у Роберты (объясняю) в замке большой зал, ну это же храм, поэтому пространство безмерное, и это столовая с кухней, а наверху, по замыслу, помещается спальня, над бывшим клиросом. Но Роберта уже туда подняться не может и вынуждена жить на каменных плитах первого этажа. Может быть, над своим будущим склепом (мы не знаем, что она написала в завещании). Ей холодновато. Но она бодрится.

Тим, я представляю, был сначала в диком восторге от романтики монастырской жизни. Кругом горки, на них города, по строению похожие на башню Татлина, т. е. пирамида винтом, с флагом над верхним палаццо, в каждом городе по тысяче с гаком человек населения, и везде в храмах Пьеро де ла Франческа. Тем не менее полное безлюдье.

Я тоже была там, у Роберты, у нас там проходили *практики*. Собственно, только благодаря этому она еще не опустилась этажом ниже, к своим брунонианцам.

Роберта аристократка, род от Борджиа, последняя в семье, полуразрушенные палаццо в разных городах. Роберта Борчиа. Груда, еле ковыляющая, с маленькими глазами, пепельно-рыжая. Нормальная блондинка-венецианка, герцогиня, измененная болезнью. Но и вообще аристократы красивы не внешне.

Тим — могучий заволжский кержак, тоже своего рода аристократ, руки лопатами, водку пьет литрами. Все еще кандидат наук. Надеется защититься, работает как вол. У него человек пятнадцать узаконенных детей от разных женщин в различных городах. Почему такая активность в борьбе с болезнью — одна из его дочек больна той же загадочной хворобой, что и Роберта Борчиа. Девочке всего шестнадцать, жизнь еще не жита. Мистика: заболели они одновременно, в Пензе и в Венеции, Роберта потом сменила климат, в Венеции сыро. Перебралась на холм к брунонианцам.

Тим тогда еще не был знаком с Робертой. Она приехала в Москву показаться одному доктору, который занимался этой болезнью; была большая пресса, семинар, а там как раз уже и находился в зале Тим с дочкой. Там мы все и познакомились.

Какие-то у него, у этого доктора, были впечатляющие результаты с двумя больными. Тогда как раз предполагалась встреча с этими вполне здоровыми его бывшими пациентками.

Встреча прошла, но организаторы, как и положено, посвятили ее приведению доказательств, что обе женщины были действительно больны той болезнью, название которой звучит как «диегнейоз». Все — больные и их родня — сидели терпеливо, не знали, зачем им это показывают, а просто уже началась обработка.

Демонстрировались первые фото обеих женщин, полулежащих с безвольно опущенными головами. На экране мелькали слайды копий с их историй болезни.

Это вызвало неподдельный интерес, у многих данные совпали. Люди просили увеличить документы. Самое интересное — читать истории болезни. Кивали, покачивали головами.

Потом, шаг за шагом, пошла методика лечения. Чудо постепенности. Это были захватывающие сюжеты. Техника эпохи инквизиции. Сваренные вручную железные перекладины. Перетаскивание больных. Выпрямление спин с помощью особых дыб на колесах — женщины сидели в креслах, к спинкам которых были приварены Т-образные приспособления, как бы сочлененные хребты, согнувшиеся в поклоне плечами вниз: к верхней крестовине и крепился шлем. В шлем вдевалась безвольно повисшая голова сидящей пациентки (этап за этапом), под подбородком затягивался особенный ременной гуж. Пациентка практически вытягивалась этим приспособлением. Много месяцев головой вверх (головная дыба). Приводились также фотографии специальных корсетов, они существовали отдельно и прикручивались, наоборот, к сиденью. Особое внимание публики (возгласы, слезы) было приковано к демонстрации этапов вставания с дыбы. Женщин освобождали, но корсет еще оставался. Якобы для чистоты доказательства обе женщины позировали без трусов, в одних корсетах. Особенно одна выглядела в этом корсете дико сексуально — молодая грудь свободно лежит, затем туго засупоненная шнуровкой талия, корсет заканчивается над пупом, а ниже, за полусферой живота, нескромная vagina, под давлением корсета набрякшая сверх меры, с небольшой порослью на валиках. Впереди нас зрители обоего пола зашевелились, заерзали. Нам показывали женский организм в полном расцвете! Т. е. не инвалида, а вполне готовое для совокупления тело.

Очень важный для психики больного человека момент.

Вторая, показанная позже, серия слайдов в полный рост вызвала тоже большой интерес — где другая женщина, немолодая баба, просто прикрыла свое место рукой, как футболист. На лице ее было написано грубое ожесточение, отказ. Грудь с большими как бы зрачками тоже оказалась полускрыта, кое-как ее загородили локти и вторая рука, но не всю. Как ни странно, это оказалось еще более неприличное зрелище, потому что из-под пальцев проглядывал самый низ со слегка вылезшим нутром. Все заранее было рассчитано. Женщина в возрасте. И резкое сопротивление, которое всегда интереснее согласия.

Ну что же, встреча носила ярко выраженный характер, как теперь говорят, нейропрограммирования с сексуальным подтекстом.

Энтузиазм участников просмотра рос. Была обещана полноценная жизнь!

Я присутствовала на этом показе как уже нуждающийся в фактах (в тот момент) оппонент, имея в виду совершенно другую модель прохождения стадий. Там дело было не в мышцах и костях. В случае подлинного заболевания П-О при всех посторонних вмешательствах остается. Может уменьшиться, может даже увеличиться. Главное, как принято объяснять у врачей, не дать больному сойти на нижележащую ступень, продержать подольше на предыдущей.

У обеих женщин, кстати, П-А не было (они сидели на сцене, сидели с видом осуждаемых воров, т. е. слегка улыбаясь, при этом с неестественно прямой спиной, видимо, опять затянутые в корсеты, по обе стороны экрана). Ни малейшего следа, тени, точки на ауре после П-А. Я-то видела их свечение. Ни впадины на месте снятого П-А, ничего. А так не могло быть. Это показывали нам чистой воды липу.

Зрители все время переводили глаза с экрана на них, живых и невредимых.

Я ничего не сказала тогда никому, после окончания осталась сидеть на месте. Участники выстроились в очередь к доктору задать свои вопросы и на запись. Я поработала с Тимом и с Робертой. Они мне понравились. Оба обратили ко мне свои взоры, затем я покивала им, они подошли (Тим — ведя свою девочку, Роберта с другой стороны и сама пока что).

Кредо

Я сразу им сказала, что здесь говорить не буду, обязательно встретимся позже. Не дала ни адреса, ни телефона. Не взяла их координат. Просто обещала им внутренне. Мы даже не представились друг другу. На вопросы Тима я не ответила ничего. За нами следили со всех сторон, вели запись на мониторы, потом будут проверять. Каждого пришедшего записали с его паспортными данными, т. е. именем и адресом.

Затем доктор, уже что-то заподозрив, бросил очередь и сам спустился к Роберте (иностранка), а по сути ко мне. Двигалось сочленение дрожащих оранжево-синих окружностей. Оранжевый и синий. Противоположные части спектра. П-О в подкорке, болен в верхней части организма и в солнечном сплетении большой темный проран. Нижняя часть, как водится: спазмированный кишечник, запоры, как у всех скупых. Геморрой. Непомерно разросшийся сальник над желчным пузырем, нехороший знак невоздержанности. Внушающая доверие благообразная внешность маньяка.

Разговаривал с Робертой (она, подойдя ко мне, не вернулась в общую очередь, рядом с ней остался и Тим). На меня доктор не глядел, но его П-О вытянулось, почувствовав угрозу. Сказал нам всем, чтобы приходили прямо в его кабинет, дал свои визитки — и мне протянул не глядя.

Я не взяла. Ушел со своим П-О. Тим и Роберта, оба воспитанные люди, слегка испугались этой немой сцены. Были немного в шоке. П-А девочки и Роберты слегка поблекли. Это было важно как начало.

Затем наша совместная история (я и эти двое) развивалась, мы с Робертой и Тимом встретились еще на одной конференции, они уже сразу подошли, обрадовавшись. Тим был без девочки. Мать ее не верила в нетрадиционные способы излечения и больше не дала ему девочку везти из города Пензы. Но Тим уже жил с Робертой Борчиа, когда она приезжала из Италии. Приехав, каждый раз она звала его, он прилетал из Нижнего. Так длилось десять лет. Дочка Тима (он о ней ничего не рассказывал, но я следила за этим случаем) уже не чувствовала ног. Нельзя помочь тому, кто не верит. Роберта мне не верила. Особенно она не верила Клаудии. Возможно, тут была ревность.

Горе, чистое горе. Ну что же, вера — это самый редкий продукт столкновения обстоятельств, прорыв. Ее не зажжешь. Только чудом, только спектаклем — а я этого избегала. Этот театр был не для меня.

Такова предыстория.

Мы посидели в комнатке Роберты — они все на тахте, мы с Робертой — в креслах, и тут хозяюшка предложила поужинать в общей кухне этажа. Там стоит хороший стол.

Роберта с помощью Тима и Джоанны (мы с Клаудией остались сзади, как почетный караул) всунулась в свои ходилки и поволоклась, мы выступили за нею.

Тим шел на страховке, как обычно.

Клаудия тихо сказала мне, как она все уже поняла, у этого умершего ребеночка не раскрылись легкие после рождения, у этой внучки той женщины, которая должна сейчас нанести визит Роберте.

— Там плачут все, — сказала она. — Врачи пришли к ней в палату, хирург, акушерка, анестезиолог, отказываются от денег, говорят, что это их вина, надо было раньше делать кесарево. Ребенок в другой больнице в реанимации, да что толку.

— Да, — отвечала я. — Ужас.

Я уже побывала там. Крошечное существо лежало в огромном старом саркофаге, в аппарате искусственного дыхания, головка снаружи. В горлышке трубка.

Только что девочка Тима упала в лифте. Ее мать отправила подышать воздухом, воспитывала в ней самостоятельность. Лифт с девочкой приехал вниз, раскрылся и закрылся. Был поздний вечер. Она ждала там помощи, в далекой Пензе.

Мы тронулись в кухню, где стоял длинный стол с липкой клеенчатой скатертью. Босая Джоанна запалила газ под чайником, я выложила дешевый шоколадный тортик, будучи беднейшим слоем населения, Тим из сумки добыл всякие закуски в прозрачных коробках. Пришли еще итальянские студентки Роберты, притащили купленные внизу чипсы и пиво, посмеялись, познакомились, ушли.

Джоанна занялась тарелками и вилками-ложками.

— Стаканы попрошу! — провозгласил Тим.

Он нарезал колбасу, сыр, потом помидоры и огурцы своим складным ножом.

Вытащил (далее следовал целый ритуал), открыл и разлил первую бутылку вина, свой дар. Назвал его. Похвастался им.

Все уважительно посмотрели на этикетку.

Выпили.

Болтали, все забыв — что завтра Роберта уезжает, что она сильно сдала с прошлого приезда, что у меня тоже все идет пока что не как полагается, — вера, вера, где ее взять.

За Клаудией стоял мощный как бы пилон, поддержка. Ее красота и хрупкость, беззащитность и густая масса волнистых черных волос располагали к себе, а потом в дело шел другой ее дар — участливость и доброта. Любовь к себе, к драгоценному сосуду, одаренному свыше нечеловеческим талантом, переливалась и на остальных вокруг. Люди невольно все время старались ее тронуть, прикоснуться к ней.

Клаудия сидела сама не своя — может быть, она уже видела, как несчастная женщина, бодрясь, плетется от метро (она действительно там шла).

Внезапно вскочил Тим:

— Пойду ее встречу.

— Да, — ответила Роберта.

В этой комнате как будто все всё знали и видели через стены.

Мы замерли в ожидании. Роберта, у которой в свое время не смог родиться ребенок от Тима, тихо переговаривалась с Джоанной. Бедная Роберта! Наследственность там у них была с двух сторон — у Тима больная дочь, Роберта сама жертва. Ничего не могло получиться — и к счастью. Ребенок бы долго не прожил. Как этот, который лежал там, вдали, и его легкие работали под давлением аппарата. Тонзиллэктомия. Трубочка в горле.

Раздался стук многих шагов.

В открытой двери стояла немолодая красавица, которая вполне бодро поздоровалась, поцеловала Роберту, села за стол и сразу выпила налитое в стакан вино. Тим ей опять наполнил. Она еще выпила. Пошарила вилкой в салате, ничего не стала есть. Держалась отлично.

Завязался разговор — почему-то о театре. У женщины дергалась левая сторона лица. От этого она каждый раз слегка вздрагивала, но вела себя как ни в чем не бывало. Старалась не выделяться.

Разговор шел теперь о доме Роберты, о том, что там в нижнем зале можно поставить спектакль, какое-нибудь «ауто» на средневековые тексты с хором.

— Акустика у тебя отличная! — восклицала гостья, передергиваясь всем телом. — Кьеза что надо! Эко!

Оказывается, она в свое время заканчивала театроведение. Но как заработать на семью — она одна кормила маму и дочку. Пошла на телестудию. Снимала сюжеты. В кадр режиссерша ее так и не пустила.

Она говорила без умолку.

Почему-то она начала вспоминать смешные истории о своей дочке.

Ее дочь лежала теперь одна в реанимации, уже отойдя от наркоза, и разглядывала свои прозрачные руки. Время от времени она вытирала глаза руками и опять их разглядывала, шевелила пальцами. Вечер был, предстояла ночь.

Из детской слышался хоровой плач детей, приближался срок кормления. Чего бедной женщине не было слышно — так это ритмичного шума работающей в далекой детской реанимации (за много километров оттуда) системы искусственного дыхания. Железные легкие стучали вполне бесперспективно уже двадцать четыре часа. В Красногорске были тяжелые роды, возможно, этот единственный аппарат очень скоро понадобится другому ребенку. Тогда конец. Сестры уже почти не заходили в эту палату.

— Я ей говорю: кататься? Как она любила качели! У нас качели висели на притолоке, на гвоздях. Муж с нами не жил. Я сама вбила гвозди, повесила. Стоит моя мартыша, маленькая-премаленькая, смотрит на качели, руки тянет... Я говорю так вопросительно: «Кататься?» Потом она что-то сообразила и говорит: «Катятя». Я тут же ее посадила, и так несколько раз. Как собаку Павлова я ее дрессировала. Это было ее первое слово, «катятя».

Она опять вся передернулась, улыбаясь, и допила свое вино залпом.

Тим щедро налил ей. Он готов был хоть чем-то ей услужить.

Господи! Там, далеко, что-то происходило в детской реанимации.

Вот.

Туда, не глядя в сторону аппарата, вошла медсестра и опустила несколько тумблеров на приборной доске, то есть отключила аппарат искусственного дыхания.

Казнь.

Но на этом процедура еще не закончилась.

Предстояло вынуть тельце из саркофага.

* * *

— Ольга, — все взвесив, сказала я. — Вашу дочку зовут Вера?

— Да, Вербушка, да, — дернулась она с вызовом. — Откуда...

— Она родила?

— Д-да... Но...

— А как вы назвали ребенка, Глаша?

— Да-да. Но... Откуда...

Она беспомощно, вопросительно посмотрела на Тима.

— А что у вас происходит сейчас? — безо всякого смысла продолжала я.

Тим свирепо зыркнул на меня. Клаудия расширила глаза. Буквально как раздвинула веки. Роберта глядела в стол, задумчиво поглаживая свой стакан. Машинально поглаживая стакан, как будто он был живым существом, а она его успокаивала. Она вообще, видимо, не могла понять, как я такое могу говорить.

— О, я сейчас — сейчас я беру две группы детей, буду делать театрик. Занятия прямо с сентября. Плата небольшая, — щебетала Ольга упавшим голосом. — Но... С детьми так весело...

Она заплакала наконец.

— Вы давно мечтали о внучке?

— Оля! — сказал ей Тим. — Все. Кончайте пить. Я сейчас пойду вас провожу, поймаю тебе машину.

— А много заплатили врачам? — продолжала я свой бестактный допрос.

— Ой! Все что было! Я серебряный портсигар моего папы продала! — радостно воскликнула несчастная. — Мама лежит, но свое согласие дала. У Вербушки ведь муж погиб... На мотоцикле на дерево налетел... Торопился к нам. Был дождь. Ребенок — это единственная память о нем. Молодой прекрасный человек. Хотел девочку, назвал ее Глаша. Беременность протекала трудно.

Оля старалась не плакать.

Слезы лились у нее ручьем. Она вытирала их пальцами. Как ее дочь там, в больнице.

Тим встал.

— Оля, — сказала я как можно более участливо. — Вы хотите, чтобы ребенок был жив? Вы хотите?

— Совсем уже... ты, — наконец рявкнул Тим.

Роберта сидела в полной неподвижности.

Но Клаудия — Клаудия начинала понимать.

— Надо очень верить и хотеть, — произнесла я какой-то чужой текст.

— А... Что? Что? — с безумным выражением на лице сказала Оля. — Есть какие-то... какие-то...

— Я жду ответа. Хотите?

Господи помилуй, чистый театр.

— Как это... Я хочу, — неуверенно отвечала Оля, жалкая съежившаяся тень. — Как бы я хотела! — вдруг зарыдала она. — Девочка моя!

— Роберта, хочешь?

Роберта подняла на меня свои рыжие глаза и ответила:

— Хочу. Вольо.

— Веришь мне?

— Ну...

— Веришь мне?

Тим молчал, ни на кого не глядя. По-моему, до него начинало доходить.

Рядом поднялась горячая волна помощи, светлая, обволокла меня.

Клаудия.

— Веришь? — повторила я как настоящая актриса, с нажимом.

— Верь ей, — пробормотал Тим.

— Я верю! — давясь от слез, бормотала Оля. — Верю, верю!

— Кредо, — как-то неуверенно качнула головой Роберта. — Верю.

— Ты веришь? Роберта!

— Роберта! — мотая головой из стороны в сторону, сипло сказала Оля. — Роберта!

Как будто в этом была ее последняя надежда.

Роберта посмотрела на меня:

— Кредо.

И, как бы покашляв, сдавленно повторила:

— Кредо! Верю.

Наконец. Чистый спектакль у меня.

Завибрировал, заиграл идиотскую музыку чужой мобильник.

Где-то там, вдали, в детской реанимации, растаяло черное пятно. Так называемое П-О.

— Это... Это мой, это в сумке, — закопошилась Оля. — Где сумка... Там, на полу... Простите...

Музыка все бренчала. Удивительно не к месту.

Долго все оглядывались, смотрели под стол.

Шли секунды.

Телефон замолк. Повисла пауза.

Все растерянно смотрели, шарили глазами, нагибались.

Оля хлопотала больше всех. Она думала теперь, жива ли дочь. Движения стали резкими, нелогичными. Она хваталась за голову. Страх затопил ее, как огромная волна.

Вдруг мобильник опять завелся, как шарманка.

Тим наконец пошарил у себя за спиной и преподнес Оле сумку, внутри которой играла музыка.

— О... Сейчас...

Глупая музыка назойливо играла.

Оля наконец поймала в недрах сумки телефончик, музыка вырвалась наружу. Стоп.

Слезы лились на кнопки.

— Да? Алё! Вербушка, ты?! Господи, Вербушка... А? Что?

Оля тут же стала голосить. Кричала, мотала головой:

— О-о-о! Боже, боже! Да?.. Да?!! Ах-х... Господи! Что надо, скажи? Ой... Да? О-о-о! Можно? Я конечно, я сейчас приеду!

Где-то там, в детской больнице, в реанимации микропедиатрии, только что, несколько минут назад, замолк аппарат искусственного дыхания. Остановился. Медсестра вытащила тельце, небрежно, чтобы не смотреть, подхватила его тремя пальцами за ножки, оно повисло вниз головой. И тут же тихо закашлял крошечный человечек, еле-еле закашлял. Поперхнулся. Медсестра затряслась, взяла ребенка как следует, прижала к груди. Он сипло покашлял опять. Сестра хотела выбежать, но потом набрала номер внутреннего телефона — кое-как, одной рукой. Вошел врач. Детеныш разлепил глазки, туманно посмотрел, пошевелил губами. Опять покашлял, хрипло, через трубочку в горле.

Не веря себе, врач глядел на приборы.

— Ну что? Отключила? — сказал он. — Дышит сама. Живет. — И тихо добавил: — Ура. Надо промыть трубку. Давай. Сообщаем туда.

— Тим, позвони в Пензу, — сказала я.

— Что-то случилось?

— Пусть ее мама вызовет лифт. Саня сидит в лифте.

— Какой лифт?..

Роберта как могла быстро протянула ему мобильный. Она уже верила! Ольга вернулась от дверей, тоже положила перед ним свой мокрый телефон, потом взяла и вытерла его обшлагом рукава и стояла, не глядя на меня, но вся обращенная именно в мою сторону. Тим набирал номер на Робертином аппарате.

У Тима тряслись руки.

— Але! Это Тимофей. Здравствуй. А Саню можно? Гулять... Так поздно гулять? А то. Не важно что. А пойди-ка ты вызови лифт... Крикни

Саню. Попробуй вызови лифт, говорю. Я перезвоню.

И он выпучился в пространство.

Роберта, главное дело моей жизни, остающаяся жить Роберта радостно, спокойно ждала нового чуда.

10 октября 2004 г.

Призрак оперы

В результате ни из кого не вышло ничего, ни из тех двух, которые пели тогда в пустом зале маленького пансионата далеко на захолустном юге, ни из того третьего, который вошел в этот зальчик и увидел тех двух: а они, ни много ни мало, пели дуэт Аиды и Амнерис, «Фу ля сорте» из Верди, знай наших, сложный диалог меццо и сопрано, имея при себе заранее привезенные ноты.

«Делль армиа туои», — вдохновенно лилось.

То есть мир их не узнал никогда. Одних потому, что возможностей не было, другого потому, что он не хотел. Об этом позже.

Тот, третий, видимо, прислушивался с улицы к пению, а как вошел — неизвестно, сквозь обслугу и дежурных. Сами они, сопрано и меццо, с трудом договаривались с персоналом, обещали дать в пансионате концерт. «Та тю, та кому вы нужны. Нам это неинтересно», — открыто комментировала дежурная, получившая мзду.

Но и то сказать, в это время, час спустя после завтрака, население пансионата гужевалось на пляже, так что певичек стали пускать. Небольшая приплата — и зал как бы в вашей аренде.

Что делать, единственное место в поселке с фортепьяно, да и то слегка раздолбанным.

Тот третий свободно вошел и сел неподалеку в зале, тихо стал слушать.

Сдержанно похлопал в конце. Те две засмеялись, поклонились.

Пошушукались и спели дуэт Лизы и Полины, с особенным удовольствием. У них там были свои штучки, одновременность, такое синхронное плавание. «В тиши ночной» в финале.

Потом третий поднялся на сцену, сел тапером, стал подыгрывать, иногда руководя свободной рукой, как хормейстер, т. е. закрывая слишком открытый звук или продолжая диминуэндо до написанного композитором предела.

Певицы почувствовали себя удивительно свободно. Это был тот случай, когда хотелось для кого-то раскрывать свое дарование, когда оно распространялось даже выше природных пределов.

Для такого случая припасена формула, обозначающая вдохновение, — «полетный звук».

А одна поющая частенько говаривала другой, что с Клавкой хочется петь лучше и лучше, что-то доказать, а со Шницлер вообще дело не идет: разница в педагогах.

(Клаудия была учительница на стороне, жила в роскошной гостинице «Метрополь». А Шницлер работала как пьявка в том институте, где училась сопрано. Буквально требовала, требовала и требовала улучшать одни и те же партии к зачетам и экзаменам. Четыре вещи долбить целый семестр!)

Но Клавка брала очень много за урок, у нее был психологический тормоз: свист в ушах при чужом пении. Мучительный эффект, результат насильственного преподавания за деньги. Редко-редко свист уступал место чувству покоя, это когда у вокалистки прорывалось настоящее.

Ученицы чувствовали себя виноватыми перед Клавочкой, но перли и перли, несли и несли деньги.

А Шницлер преподавала официально в институте, завкафедрой и все такое, но с ней дело не шло.

То есть дело в учителе, как он вынет из горла звук. Как?

Тот, кто пришел и сидел теперь за роялем, почти не участвовал в пении. Иногда производил легкий жест тонкой, хрупкой ладонью. Как бы приподнимающей горстку пуха. Или как бы опускающей выключатель, тогда они, обе певицы, мгновенно замолкали разом, что есть важнейший в дуэте момент одновременного окончания фразы.

Он почти все время молчал, но уровень был виден сразу. Играл не то что бы с листа, но по памяти ВСЕ.

Сразу чувствовалась, однако, некая дистанция. Он был профессионалом высокой пробы, хотя маскировался под простоту.

Его даже хвалить было неловко.

Сопрано перестала драть горло в особенно высоких и трудных местах, хотя большим диапазоном она похвастать не могла и брала криком. Малый голос.

(Клавочка ей однажды сказала, что можно орать, все равно у нее громко не получится.)

Притом сама же Клавка частенько мучительно морщилась. Явно шел внутренний свист.

Клавочка не скрывала, что давно бы избавилась от сопрано, но та цеплялась за уроки как за последнюю надежду. Всё несла педагогу, все деньги.

Она зарабатывала много как преподавательница теории и сольфеджио, готовила учеников в свое училище и консерваторию, драла с них по полной. Все относила Клавдии.

Это было как наваждение. Сопрано верила в то, что Клавочка ее вывезет. А может, дело было не в этом.

С меццо дела обстояли проще — она давно попрощалась с идеей стать певицей, преподавала в том же училище по классу аккордеона, хотя закончила как пианистка.

И пела с сопрано за компанию свои вторые партии. Это у них была отдушина в жизни.

Хорошим, верным низким голосом она вторила сопрано.

Ей, этой меццо, свободно можно было бы петь в кабаках, да еще и с аккордеоном, и сопрано иногда строила за подругу планы возможного будущего.

Сопрано бы в кабак не взяли. Так она сама говорила. Еще не время!

Однако ничего не получалось, времени у аккордеонистки не было, пробивной силы никакой. Вообще сил на жизнь.

Да и желания тоже.

Аккордеонистка-меццо тихо жила с дочкой и мамой, внешность имела среднюю, за собой особо не ухаживала.

Ее бы поставить на каблук, надеть сверкающий паричок, платье накинуть как на вешалку, т. е. бретельки и красивую тряпочку выше колен — классная бы получилась картина. Но тяжелый развод в анамнезе, неверие в себя, час двадцать до работы и еще дольше обратно (результат развода и разъезда, квартира почти в деревне) — и имеем результат: тусклые волосы и лицо, унылый взгляд, уходящий в сторону.

«Ты чисто как после траура! — восклицала темпераментная сопрано. — Хватит уже!»

Сопрано же, в свою очередь, с каблуков не слезала даже на пляже, охотно трахалась при любом случае и носила притемненные очки размером в маскарадную полумаску, чтобы никто ничего не разглядел, потому что мнение о своем внешнем виде у нее имелось самое трезвое. Что не мешало ей любоваться на себя в любое зеркало. Косметики она употребляла сколько поместится.

Но притом женщина она была организованная, бодрая, трудоспособная, тоже с разводом и тоже с дочкой и мамочкой.

Удивительно слаженно теперь звучал их дуэт, и редкие обгорелые поселенцы, не могущие идти на пляж, постепенно стянулись в зальчик и даже начали хлопать.

На закуску сбацали дуэтом медленное танго Эдит Пиаф, жизнь в розовом цвете, аккомпаниатор и тут не сплоховал. Даже меццо оживилась и сымпровизировала недурную втору.

Зрители устроили овацию втроем.

Но тут всунулась менеджер, что сколько можно, женщины.

То есть пора выметаться.

Пошли в кафешку для своих, где обедали хозяева окрестных лавок, саун и обменных пунктов. Сопрано всегда сорила деньгами на отдыхе. Заказала полный стол.

Новообретенный незнакомец не пил, не ел, сказал, что спасибо, сыт, прихлебывал минералку и оказался Оссиан.

— Как? — вылупилась сопрано. — Осьян?

Он не ответил. Потом, спустя какое-то время, долго они решали, как же на самом деле его звать.

Сопрано, простая душа, минуя все сложности, в конце концов стала обращаться к нему как к простому, случайно обретенному соседу по столу: «Слушайте, вы, вот вы!»

Это была фраза какого-то телевизионного юмориста, таким образом шутливая сопрано начинала разговор с незнакомыми.

На вопросы он не стал бы отвечать, это ясно.

Сопрано притормозила со своими застольными шуточками.

Меццо спокойно ела, пила вино, отдыхала душой, видимо.

И так постепенно, шаг за шагом, возникла какая-то редкостная атмосфера застенчивости со стороны певичек.

Однако говорить было надо хоть что-то, и сопрано снова завела рассказ о своей учительнице по вокалу. Она ее неумеренно хвалила:

— Я ведь каждый день беру уроки, я лечу к ней буквально как на крыльях. Отовсюду!

Меццо, до той поры молчавшая, вдруг живо возразила:

— Ты так всю жизнь будешь на нее пахать, на свою Клавдею. Это же известный способ. Это как бегать в казино. Как наркотик даже. Подсадить человека на обучение — известная удочка! А Клава твоя десятой части не умеет того, что умел ее учитель.

— Ты, — обрушилась сопрано на меццо, — ты откуда знаешь, любовница дядьки, ты не испытала еще в жизни такого счастья, как я!

Меццо ответила:

— Да знаю, не испытала. Тут, кстати, в Еникеевке, что ли, живет такой же гуру. Лет ему что-то девяносто. Мне о нем говорили. Километров двести отсюда по побережью. К нему ездят даже из Москвы. Он ставит дыхание. Разбирает вещи по слогам, каждый слог отдельно ставит. Я слышала о нем. Месячный курс, семь часов в день, стоит чуть ли не как старую иномарку здесь купить. И представляешь, некоторые московские сдают свои квартиры, переселяются к нему. А кто-то побогаче летает на уик-энды.

— Клаудия называет его мошенником и жуликом, — отвечала сопрано. — Каравайчук, что ли? Ты к нему сама ездила, скажи?

— Не знаю, как он о ней отзывается, — парировала меццо. — Наверно, еще похлеще.

— А, сама ты такая же, как я! — задорно, чтобы смягчить ситуацию, воскликнула сопрано. — Тоже имеешь цель! Только ты деньги жалеешь. А Клаудия одна.

Гость все молчал.

— Я тебя хотела взять к Клавдии, — сказала сопрано беззаботно. — Но старуха берет так много... Живет в «Метрополе» в потайной квартире. Ее кухня окном имеет нижнюю часть купола ресторана.

— Еще бы! С таких доходов.

— Ей знаешь сколько лет? И она мне обещает столько же, — понуро сказала сопрано. — Но я не хочу. Чтобы мою дочь старухой увидеть? И не дай бог, она за мной с горшком будет ходить?

— А сколько же ты наметила? — горько спросила меццо.

— Я еще не рассчитывала, успокойся. Сейчас одно, через двадцать лет другое будет. Старики цепляются за жизнь! — торжественно заключила сопрано и расплатилась за всех.

Обед закончился.

Вышли на знойную улицу.

Шли и шли, неведомо куда. Гость не прощался.

И тут сопрано не выдержала, вдохновилась и все-таки выступила с многозначительной, не раз уже бывшей в ходу репликой «Куда мне вас проводить».

И выразительно посмотрела на Оссиана через свои притемненные очки.

То есть имелось в виду, что она пойдет к нему на эту ночку.

Оказалось, что пока никуда. То есть он только приехал и нигде не угнездился.

И неожиданно он согласился остановиться на квартире у певиц.

— У нас же четыре койки! — сияя, несколько раз подчеркнула сопрано, надеясь его убедить. — Домик в саду! Даже две комнаты с удобствами!

Он не возражал. С искренней такой простотой несколько раз кивнул. Вообще показался ангелом добра.

С ним был небольшой рюкзак.

Как он был одет, они так и не вспомнили потом. Не до того было. Что-то светлое, обыкновенное. Бедное.

И очень уж просто он позволил женщине заплатить за себя в ресторане.

Тем более, как объясняла потом сопрано, он же не ел ни фига! И вино не пил.

Но они обе поняли, что он из тех мужчин, за которыми нужен глаз да глаз, которые мгновенно становятся объектом заботы. Одеть-обуть, накормить — это еще полдела. Не обидеть! Не задеть ни единым словом. Создать обстановку! Поддержать и обогреть эту беззащитную душу!

Придя, они оставили его в саду на скамейке и закрыли за собой дверь в домик.

Мигом они вымелись обе в одну комнату, все барахло перетаскали, подмели. Они предоставили ему, разумеется, лучшую комнату.

Все установили и расположили, украсили цветком (сопрано сбегала в сад и срубила розу).

Сунулась было хозяйка, нездоровая тетка с замотанной головой, зачем цветы ломаете, а на самом деле ее, как пчелу, привлекло нечто к новому цветку. Нужна была информация о том, кто сидел неподвижно в саду.

Она постояла, поглядела, исчезла и вернулась с новым большим полотенцем.

И опять остановилась, как пригвожденная, озирая чистенькую комнату на месте постоянной барахолки.

Две сопрано живо ее выставили хорошо поставленными голосами, минуя плаксивые угрозы насчет дополнительной платы:

— Ты и так, Галя, дерешь с нас за четыре места, хватит!

Оссиан при этом уже как-то не присутствовал у дома, незаметно исчез прогуляться. Но рюкзачок оставил на скамейке и, стало быть, к нему вернулся.

Затем пошли на море.

Тут вообще была комедия, потому что гость не стал раздеваться, прилег на притащенном для него белом шезлонге, даже не сняв туфель.

Но то, что он был в легкой белой рубашке и полотняных брюках, оказалось удивительно к месту.

Сопрано выступала в затянутом купальнике как в вечернем платье. Могла бы скрыть, то и скрыла бы колготками свои коротковатые толстые ноги — но все-таки ходила по этому случаю в специальных босоножках с каблуком под десять см, увязая в песке. Принесла себе пива, а гостю минералки без газа.

Трудилась, переваливалась сильно открытыми ягодицами.

Меццо была незаметна, с незаметным, худощавым телом и невыразительным, бедным лицом. И волосы имела бедноватые, подстриженные жидкие кудряшки серого цвета. Ничего не хотел человек делать с собой. «Ну ты же можешь, ну ты же можешь! — частенько восклицала сопрано. — Вон на вечере встречи ты же была самая клевая! Как на тебя все смотрели! Ну что тебе стоит, на, на, возьми тушь! Губы подкрась!»

Та только усмехалась. Видимо, ей было стараться не для кого. В свое время постаралась, и вот результат, спасибо, однажды заметила она, развод, отягощенный разъездом.

Вернулись с пляжа еще более зачарованные, сидели под грецким орехом за столом.

Дядька хозяин принес своего молодого вина в пол-литровых банках и вежливо удалился.

Настала теплая ночь. Повис месяц. Цикады грянули свою оперу. Трио и дуэты, хоры и соло рассыпались в невидимых окрестностях.

Меццо вдруг исчезла.

— Она ходит к хозяину в дом трахаться. Хозяйка спит отдельно в клуне. Она больная. Каждый вечер так, — внезапно поделилась с Оссианом сопрано. — Хотите персиков? Пойдемте.

Но за руку взять его не посмела.

На черной почве сада в полной тьме белели плоды.

— Это яблоки, это персики. Мы собираем в тазик, взвешиваем и платим ей. А иногда и с дерева рвем.

Так, наверное, должно было пахнуть в раю, компотный дух перезрелых фруктов.

Вернулись под орех. Стол стоял на забетонированной площадке, тут же недалеко таскалась, гремя цепью по бетону, неразличимая собака.

— Уголек, — позвала сопрано. — Он черный. Уголек!

Собака остановилась, потом опять пошла греметь.

Засипела вода из шланга в саду. Видимо, вышел хозяин на вечернюю поливку.

— Сейчас она вернется, — сказала сопрано.

Действительно, явилась меццо, села пить вино из банки.

— Ну как? — лукаво и пьяновато спросила сопрано. — Кончила?

Ей не ответили. Видимо, это был обычный вопрос.

Сопрано вдруг смутилась.

— Пойдемте нальем еще вина, — предложила она, вскочила и окликнула хозяина через весь сад.

Они пошли в подвал, где стояла на боку большая бочка, почти цистерна.

Хозяин снял шланг, вставил себе в рот, сделал ряд сосательных движений и тут же сунул трубку в банку. Мутноватая жидкость полилась как из его внутренностей. Каждый раз было такое впечатление. Что-то глубоко физиологическое.

— Нолил! — произнесла свою обычную шуточку сопрано.

Торжественно он сам отнес дело своих рук на стол и ушел сразу же.

Курили под звездами, свободные люди.

Затем хозяин возник у стола опять, постоял молча, повернулся, и меццо ушла с ним.

— Это уже называется раз-врат, — печально сказала сопрано.

И тут же она начала жаловаться.

— Я! — прозвучало в ночной тишине, полной звона цикад. — Я бы так не могла. Он ко мне подъезжал.

Никакой реакции не последовало.

— Но она несчастная. Это так, для здоровья. А вот вы, расскажите о себе!

— Да нечего рассказывать, спасибо, — милосердно ответил он после длиннейшей паузы. Расскажите лучше вы.

— Я учусь в институте заочно! Но это просто для бумажки, для диплома. Я у Шницлер просто так, для порядка. Но я ученица Кандауровой Клавдии Михайловны! Слышали? И больше ничья. Я ее не предам. Я ее реклама. У меня вообще не было голоса!

И тут она исполнила короткий вокализ.

Она не смотрела на Оссиана.

Он молчал.

Уголек даже перестал таскать цепь и замер.

Потом опять безнадежно загремел пустой жестяной миской.

— Я! — продолжала сопрано. — Я много зарабатываю, много трачу. Но и Клавдия много берет! Много! А я готова ей все отдать, все, только бы она вытащила мой голос. Только бы! У меня же совсем его нет. Ты слышал.

Он даже не кивнул.

Она продолжала в том же жарком тоне:

— Ты слышал. У меня аб-со-лютно камерный голос. А я буду оперной певицей! У Клавдии две ученицы пели, одна в Большом театре, другая в кино. Любовь Орлова, слышал такое имя? Ни у той, ни у другой не было голоса. Клавдии сто семьдесят лет или даже больше. У меня тоже нет данных для оперы. Клавдия имеет свою систему воспитания бессмертного голоса. Она его выводит. У меня сейчас диапазон две октавы. Будет четыре лет через десять.

— Спой, — попросил Оссиан.

Сопрано повертела головой, хлебнула вина:

— Не надо. Пока что не надо.

Он молчал.

Вдруг она встала, покашляла, оперлась своими трудовыми пальчиками о стол и запела «Элегию» Массне.

Голос у нее был небольшой, но и мало того: он был и не особенный, то есть без очарования. Без тембра. Так себе, простой голосок, лучше всего он пошел бы под гитару.

— Вот не могу бросить курить, — пожаловалась она.

И тут же покашляла, села.

Посидели молча. Наступала ночная прохлада.

— Второй раз у них всегда дольше, — сообщила сопрано. — Пошли купаться в море? Сейчас темно, можно голышом. Я смотреть не буду! Пошли!

Опять возникло молчание. Гость не шелохнулся.

— Я люблю ночью. Никто не видит тебя, плывешь свободно. Такая свобода... Чудо. Господи, как не хватает свободы!

— Спой.

Сопрано опять встала, как по команде, снова прокашлялась.

Оссиан протянул свою раскрытую ладонь к ее солнечному сплетению, чуть пониже груди. Эта ладонь стала что-то как бы приподнимать.

Пошло пение. Голос лился как-то странно, полуоткрыто. Под большим напряжением. Из недр буквально. Но выходил наружу легким, другим. Сопрано лилось чистое, как стекло. Достигло невероятных высот и начало спускаться.

Ладонь легла на стол.

Внезапно из темноты появилась меццо:

— Это кто? Это кто пел?

— Я. Это он. Я пела, — тихо ответила сопрано.

— Не может быть, — затрясла головой меццо.

Сопрано хлебнула вина и тихо засмеялась:

— Ни с того ни с сего.

И понурилась с какой-то неясной тоской:

— Эх, жизнь! Ишачу, ишачу, кручусь, а голоса нет.

— Ты что! Ты что! Я же слышала!

Оссиан молчал.

Еще посидели, вызвали хозяина, он принес вина.

— Ты, — вдруг произнесла сопрано, — ты показал мне... Ты показал мне, что ничего у меня с Клавой не выйдет. Ты... Ты возьмешь меня?

Он не ответил, как-то улыбнулся в полутьме.

Заснули как убитые в своей комнате, сопрано и меццо.

Наутро проснулись уже белым днем.

Оссиана не было.

Не было и его рюкзака.

Кровать стояла несмятая, как будто на ней не спали.

— Когда он ушел? Куда? — спросила сопрано у хозяйки.

Та начала жаловаться на больную голову и вроде бы даже заплакала, сидя у себя в закутке на высокой кровати.

— Не заплатил мне, да? — горевала она. — Ушел? Хозяин старается, старается... И бабы эти уезжают, и все, не платят.

Что-то у нее в голове явно перемешалось.

— Мы платим за четыре койки! Чего это ты выступаешь? — спросила сопрано и осеклась, потому что хозяйка на нее посмотрела из-под платка. Ясно и насмешливо, безо всяких слез.

— А вот и не платите, — повторила она.

Видимо, знала, о чем говорила. Все у них было включено в обслуживание. Олл инклюд.

Сопрано вернулась к меццо. Меццо лежала и курила.

И вдруг сказала:

— А ты знаешь, это же был Призрак оперы. Помнишь, Клавдия говорила о своем учителе? Мазетти его приводил к ней. Если Призрак оперы дает три урока, то это на всю жизнь.

— Клавдия? Она мне ни о чем таком даже и не заикалась, — растерянно возразила сопрано. — А ты что, к ней ходила? Без меня?

— Да нет. Это мне вроде бы говорили про нее, — рассеянно произнесла меццо. — Не помню кто. Давно еще. В консерватории. Такая легенда. Подарил бессмертие. Вот она и мается.

Луны

Я поселилась на четвертом этаже нашего пансионата на берегу моря, которое в это ненастное время грохотало, как вечно идущий мимо поезд. Волны шли и шли, раз пущенные в ход, а у нас завтрак сменялся обедом, болтовня, заменявшая нам реальную жизнь, заполняла все свободные промежутки. У нас у всех была пора отдыха, обслуга подавала, мыла и выносила отбросы бесшумно, все шло хорошо, завелись также интимные отношения, как это всегда бывает в таких условиях, и нескольким семьям, оставленным в городе, грозил распад, а мы, старые люди, пенсионеры, попавшие в пансионат только благодаря свободным в это холодное время года местам, — мы занимались своими болезнями, сидели по утрам в очереди на ингаляции, а вечерами у телевизора, так оно и шло. У нас тоже дело не обходилось без жестоких страстей, без клеветы, без любви и ревности, у нас составились партии, но мы также жили и жизнью одной молодой пары и их друга. Мы все гадали, кого выберет Айна, одни старушки любили беленького Иманта с голубыми глазками и впалыми щеками, обещавшими к зрелому возрасту обратить лицо Иманта в произведение скульптуры, — другие отдавали предпочтение маленькому черному Эдгару, очень похожему на Чарли Чаплина, чудаку с мелкими чертами лица и прокуренными зубами. Они, Имант и Эдгар, были давнишние друзья, Айна же появилась у них только тут и была просто непременным элементом отдыха. Высокая, с судорожным смехом и большим опытом личной жизни, Айна ходила с Эдгаром, спала с Имантом, а они оба хотели обратного. Так мы все и жили, пока однажды вечером, выпив обязательный кефир, я в плохом расположении духа не поднялась к себе на четвертый этаж. Я зажгла свет и пошла к окну задернуть занавески, и тут началось. Кто-то заглядывал в окно. Лицо, похожее на хоккейную маску, на череп, на дыню, истыканную ножом, то приближалось, то отдалялось. Я бросилась вон из комнаты в коридор, в коридоре толпились все наши, а среди них я увидела опять-таки те же луноподобные существа. Все наши стояли в полной тишине, не делая ни шагу, оцепенев. Айна, Имант и Эдгар как бы слиплись все трое, но в пространство, образовавшееся между их шеями, протискивалось луноподобное существо. Имант и Эдгар крепко держали Айну или держались за нее и оттого, видимо, с таким упорством протискивалось со спины Айны к их подбородкам то существо с необязательным выражением лица, словно это была луна, старательно пробивающаяся в ущельях гор. Я стояла отдельно, меня поэтому существа не очень касались, не было, видимо, заманчивого промежутка между мной и кем-то еще, хотя он был, как я убедилась через некоторое время, почувствовав под мышкой как бы трепетанье, и не только под мышкой. Тогда я широко раскинула руки, поставила ноги на ширину плеч, затем пришлось разжать пальцы рук. Всего хуже дело обстояло со ртом, но вскоре, когда я разинула рот, они убедились, что ни туда, ни в ноздри, ни в уши им хода нет, несмотря на их большую обтекаемость. Их интересовало больше всего то, что имело обратный выход в видимой перспективе. Поэтому они протискивались с какой-то озабоченностью между нашими тремя влюбленными.

Человек очень быстро ко всему привыкает, ему важно только изучить правила поведения в каждом отдельном случае, вывести законы. Так что вскоре все мы стали кричать Айне, Иманту и Эдгару, чтобы они немедленно расцепились, и наша неразлучная влюбленная команда расстроила свои ряды. Хуже всего пришлось

Айне, она хотела сохранить обоих мальчиков и все прижимала их к себе, пока собственные беды не отвлекли ее внимания и она не начала судорожно прыгать на месте в своей длинной юбке, а потом ей все же пришлось сбросить эту юбку и широко расставить ноги, чтобы очередная невозмутимая личность протиснулась у нее между колен. Все боялись вернуться в свои комнаты, все приспособились, речь уже не шла ни об удобствах, ни о сохранении приличий. Айна, как наименее устойчивый персонаж, упала в обморок, и тут же, лежа на полу, начала бугриться, колыхаться, потому что под нее подползли в надежде выбраться с другой стороны наши новые знакомцы, наши поковерканные луны, дыни и черт знает еще что. Общая судьба явственно предстала перед нами, нам приходилось теперь спать на живом, под нами должно было ползать, перемещаться, нырять, ни одна постель, ни одно кресло не гарантировали отдыха, ну и что, человек ко всему приспосабливается, и вскоре жизнь вернулась в свое русло. Появились подпорки для рук, особые позы (руки в бок), рты были постоянно разинуты, чтобы пришельцы не заткнули нам глотку в поисках выхода, которого в обозримом пространстве не было, в чем их и надо было убедить. Имант и Эдгар покинули Айну и разошлись друг с другом, Айна бродила как живое распятие, как воплощенное горе, как ярко выраженное одиночество. Имант со своей беленькой бородкой смотрел издали с большим напряжением, что могло выражать и то и это, но выражало, на наш взгляд, опасение за свою жизнь и за все то, что он еще собирался сделать, хотя в свете последних событий он не мог думать, что все останется по-прежнему, и его планы в том числе. Эдгар ходил как бы помахивая крыльями, он же изобрел ту походку, которой немедленно воспользовались все: носками внутрь, напружинив икры наружу. Таким образом, создавался широкий фронт для прохождения пришельцев и одновременно не терялось человеческое достоинство, потому что существуют же косолапые люди, и они ходят на кривых ногах как ни в чем не бывало, они не виноваты.

Одна только Айна сидела взаперти у себя в номере, и именно к ней сквозь все щели тянулись наши пришельцы (у всех двери были широко раскрыты), и поток пришельцев наблюдался только односторонний — через щели в окнах к раскрытым дверям. Было установлено, что из широкого в узкое они ходят хуже и неохотней: это было похоже на некий закон, были предположительно найдены и истоки появления существ, что это мутации то ли микробов, то ли еще чего-то, гиганты с призрачной структурой и намеком на хвостик. (Хвостик особенно неприятно извивался при прохождении под лежащим телом, ибо мы ведь спали, не обращая ни на что внимания, только отмечая извивы хвостиков.) Одна лишь Айна сидела у себя запершись, и к ней лезло неисчислимое количество пришельцев с улицы и от нас. Было вдруг замечено, что чем дольше заперто у Айны, тем больше устремляется к ней существ и тем меньше их у нас. Они, видимо, не размножались беспредельно, число их было конечно, так что в итоге все уравновесилось, у каждого в номере жило по два-три постельных существа, но зато у Айны ими, видимо, кишмя кишело. Как она могла так жить, непонятно, их у нее развелось как тараканов, она и выскакивала в столовую вся измордованная и жаловалась, что не спит, что нет сил жить. Она ведь ходила по-прежнему грациозно, на прямых ногах, разве что надела брюки, и словно черви мелькали у нее под мышками и в промежности хвосты пришельцев, снующих взад-вперед, и все от нее отвернулись.

И когда однажды она, вдруг сообразив что к чему, широко распахнула свою дверь, кто-то просто, проходя мимо, вынул из ее дверей ключ и запер ее снаружи, чтобы пришельцы опять не сунулись к нам. Айна билась об дверь, колотилась, потом выбила себе окна, запертые по причине холодов, потом все замерло, и мы заснули, сотрясаясь во сне от лазающих в постели пришельцев.

А Айна осталась жива, хотя никто ее не отпер. Она спрыгнула с четвертого этажа на глазах у всех, когда все гуляли по пляжу врастопырку.

Она постояла в своем разбитом окне, а потом прыгнула, а вся ее кривомордая команда дружно всколыхнулась и понесла ее — они же летали, как мы могли забыть. Айна летела над нами, как торпеда, а эти бледнолицые сопровождали ее почетным эскортом, поддерживали ее в полете, и это было красиво, во-первых, а во-вторых, это ведь было решение вопроса: можно было бы спать на весу, они поддержали бы, у них не было другого выхода. Для этого достаточно было упасть с кровати, чтобы тебя подхватили: это открытие сделал белокурый Имант, его как-то застали в раскрытую дверь за таким вот лежанием, и вскоре все мы так спали, на весу. А наша прекрасная Айна улетела, мы ей завидовали, потому что ни у кого из нас не было достаточно сопровождающих лиц, чтобы улететь отсюда вон, она увела всех своих, а транспорт на Земле больше не ходит. Иногда мы видим перелетных пташек, таких же, как Айна, они несутся над нашими головами, а мы разводим в огородах картофель, потому что остались здесь пожизненно. Ну и что, прекрасная судьба. Правда, уже началась борьба за овладение лишними существами, остающимися после мертвых (от живых они не уходят), и все большее число захватывают себе Имант и Эдгар, так что скоро и они полетят, и единственно что — им так скоро и так высоко не улететь, как удалось Айне, лун у них мало, а цена слишком высокая, человеческая жизнь, мы не так легко расстаемся с жизнью...

Фонарик

Однажды молодая девушка возвращалась зимним вечером с электрички к себе в деревню.

Идти было недалеко, но дорога шла через мостик и дальше наверх, по полю.

И вот, поднимаясь на гору, девушка увидела какой-то свет, как будто горел фонарик в руке у прохожего, причем луч упирался прямо ей в глаза.

Она испугалась, было уже поздно и темно, никого вокруг, только этот пучок света, который приближался по тропинке.

Что было делать?

Поворачивать обратно слишком опасно, получается как будто бегство, догонят и убьют, а идти навстречу фонарику тоже страшно, но в этом случае лучше сделать вид, что ничего не происходит.

Девушка быстро переложила свои небольшие деньги из сумочки за пазуху и пошла как ни в чем не бывало навстречу фонарику.

Сердце ее билось от страха, но она не замедляла шаги и не останавливалась, чтобы не показать виду, что боится.

Этот луч фонарика, однако, все светил и светил, но не приближался ни на шаг, и девушка летела на этот свет, как бабочка на огонек лампы.

Она шла так уже довольно долго и вдруг заметила, что идет прямо по полю.

Тропинка куда-то исчезла, только впереди горел огонь фонарика.

Идти по полю было нетяжело, снег давно слежался, хотя поле было бугристое.

Снег давал какое-никакое, а все же освещение, и девушка стала выбирать путь поровней, хотя куда она шла при этом, было неизвестно.

Тут что-то сбоку сильно рвануло и осветило все окрестности, как молнией, только продержалось подольше.

Девушка даже оглянулась в сторону этого взрыва, но ничего уже не было видно.

Потом она посмотрела по сторонам и поняла, что совершенно не соображает, где находится.

Было темно, тихо светил снег и вдали неподвижно стоял кто-то неразличимый со своим фонариком.

И девушка покорно пошла на свет этого фонаря: по крайней мере, можно спросить дорогу.

Хоть она и выросла в этих местах, но всякое случается с человеком.

Ей было ясно, что она заблудилась.

Она шла и шла, свет фонарика вел ее куда-то, и она уже совершенно не понимала, зачем ей двигаться по снежному полю, и где ее дом и сколько прошло времени.

Иногда она падала и с ужасом вскакивала, помня рассказы бабушки Поли о том, как замерзали на снегу усталые люди, которые хотели отдохнуть.

Бабушка Поля умерла не так давно, она растила свою внучку от рождения и все время разговаривала с ней, все время, даже когда та еще не умела говорить.

Девушка еле шла, потому что очень устала, она училась в торговом техникуме, и в этот день у них была практика в магазине, полный день на ногах.

Обычно она не возвращалась так поздно, старалась остаться ночевать у подруги в Москве, но сегодня не получилось, к той понаехали родственники.

Девушка подумала, что отец с матерью, наверно, пошли ее встречать и не встретили, потому что она свернула с тропинки в поле и заблудилась, и теперь родители вернулись домой и звонят-названивают ее подружке в Москву, и как они восприняли эту новость, что их дочь давно уехала на электричке?

Девушка немножко поплакала, но потом уже шла как деревянная: она поняла, что спасения ей нет, этот свет фонарика заманивает ее куда-то.

Сердце ее билось, во рту пересохло, в горле саднило.

Иногда она шла с закрытыми глазами, иногда сворачивала в сторону — но знала, что свет фонаря все равно светит впереди.

Наконец она наткнулась на что-то твердое и вскрикнула.

Это была ограда кладбища, невысокий штакетник.

Перед ней был как бы кусок леса в поле, старые деревья, еле различимые во тьме кресты и памятники за оградой, занесенные снегом.

Луч фонарика (или пламя свечи) теперь затерялся в гуще деревьев и светил издалека.

Девушка поняла, где она находится, и поняла, что фонарик теперь светит на могилке бабушки Поли.

И бессознательно, совершенно не думая ни о чем, девушка пошла к калитке, чтобы войти на кладбище.

Однако она с ужасом услышала чье-то громкое дыхание за спиной и легкий шорох.

Она не стала оглядываться, только ускорила шаги и втянула голову в плечи, ожидая удара.

И тут кто-то слегка тронул ее за варежку, а потом взял и потянул вбок.

Девушка открыла глаза и увидела небольшую лохматую собачку, которая, улыбаясь, смотрела на нее.

Сразу стало легче на душе.

Девушка посмотрела через забор — огонек на кладбище погас.

Собака опять потянула девушку вбок.

Девушка стояла на утоптанной, довольно широкой тропинке, на которой валялись еловые ветки — видимо, с последних похорон.

И тут девушка со всех ног помчалась по этой нахоженной тропинке, а собака сразу же отстала.

Это, видимо, была собака, которая подбирала на кладбище остатки от поминок и тем кормилась, такая кладбищенская нищенка, и она никуда не отходила от своего места.

Через полчаса девушка уже подходила к своей деревне.

А ее отец с матерью, как потом оказалось, действительно пошли встречать свою дочку, но на полдороге увидели и услышали взрыв впереди. Это взорвался газопровод, который как раз шел поперек тропинки.

Взрывом разнесло деревья вокруг, все было обуглено, и со свистом горел высокий факел.

Родители девушки бросились к месту взрыва, облазили все вокруг, но не нашли ничего, никаких останков.

Потом они пошли на станцию, позвонили в Москву, узнали от подруги своей дочери, что та выехала два часа назад, дождались последнюю электричку, никого не встретили и тогда быстро отправились домой теперь уже другой дорогой, надеясь на последнее — что разминулись с дочкой.

Вернувшись, они позвонили в милицию, но им сказали, что все на месте аварии и никто сейчас не поедет искать.

Мать на коленях молилась перед иконой, отец лежал лицом к стенке на диване, когда девушка вошла в дом.

Отец сел на диване и схватился за сердце, мать кинулась к ней и обняла ее со словами:

— Где ж ты была? А мы думали, что Бог тебя прибрал, — и тут она заплакала. — Что бабушка Поля позвала тебя к себе. Ты знаешь, на твоей тропинке ведь был взрыв. Скоро после прихода твоей электрички. Мы посчитали, ты должна была попасть в этот взрыв. Мы тебя там искали.

— Да, — ответила девушка. — Я видела взрыв, но я была уже далеко. Я была около нее. Баба Поля позвала меня.

Новый Гулливер

Ж изнь моя под угрозой, по-видимому. Я лежу один, прикованный к постели гриппом, и моя жена воспринимает все, что я говорю, как бред. Уже идет речь о больнице. Два раза в день приходит какая-то мастерица и практикует на мне как законченная садистка, то есть всаживает в мякоть огромную иглу и делает вид, что торопится дальше, а я боюсь ей сказать, чтобы она не оставляла ампулы и вату, поскольку мало ли как их используют «те». «Те» используют всё, в том числе и недоеденное и недопитое. Эксперимента ради я оставил на стуле, не принял таблетку анальгина, и всю ночь у «них» шел пир горой и раздавались пьяные песни, у сволочей.

Я познакомился с ними в самом начале болезни, когда не мог спать ночью и встал, чтобы переодеть мокрую майку, поскольку меня бил озноб и т.д. Я пошатнулся и увидел у плинтуса небольшого жука, который быстро побежал, как они могут. Я этого жука хотел пришлепнуть и наступил на него, но успел наступить только на лапку, и когда поднял шлепанец трясущейся рукой, в свете далекой настольной лампы увидел на подошве отчаянно повисшего человечка размером с таракана с раздавленной ниже колена ногой. Человечек, видимо, находился в шоке.

Я отлепил его, одеяло с меня сползло, и что было делать, я не представлял, одно только меня утешало, что это галлюцинация. Я полил на человечка водой из стакана, он несколько раз вздрогнул у меня на руке и пополз. Куда его было девать, мою галлюцинацию? Я положил его на блюдце и стал рассматривать. Человечек был одет во что-то грязно-серое, при ближайшем рассмотрении это оказался клочок ваты, порядочно-таки заношенной. Моя садистка, что ли, уронила? Но ведь это галлюцинация, успокоил я сам себя. Моя галлюцинация, волоча расплющенную ногу, потащилась на трех конечностях к краю блюдца, свесила лохматую голову и, живучее создание, перевалила на стул. Стой, не уйдешь, как бы воскликнул я и на пути моего человечка поставил руку. Он поднял голову, примерился и стал, щекоча меня руками, взбираться, как дурак, по пальцам не хуже, чем по бревенчатой стене. Замечательно было то, что я внутренне хохотал над его жалкими попытками, однако вид моего окровавленного мизинца, когда я стряхнул с руки привидение, ошарашил меня... Так вот как может протекать бред, подумал я и вытер пятнышко крови о майку. На этом я влез в свою ледяную постель и стал дрожать от холода, пока не наступило утро и жена не пришла мне дать питья в мой чумной инфекционный барак.

— Смотри, у тебя ночью шла носом кровь, — сказала жена, указав на майку.

Я попил и немного съел какой-то дряни из тарелки, пока жена собиралась на работу. Затем весь день ушел у меня на наблюдения за тем, как мои галлюцинации добывают из стакана и тарелки воду и пищу. Воду они носили толпой в ампуле из-под новокаина, а спускали ее в бинтах. Кашу они просто вылили на пол, наклонивши над пропастью тарелку, а было их видимо-невидимо. Внизу, на полу, кучу каши разбирали в свою посуду, как-то: в копейку, в отбитые горлышки ампул, в клочки картона (их везли по полу). Фигурировала также чайная ложка, упавшая у меня вчера утром, ее нагружали и несли целой колонной.

Мой инвалид бесследно исчез, жена дала сменить мне майку, доказательства галлюцинации пропали, но человечки, суетившиеся у плинтуса, не исчезли. Двоих я обнаружил у себя перед глазами, они шли вверх по ковру, как альпинисты в кустарниках, и целью их похода, я обнаружил, была полка, но там, между ковром и полкой, существовал так называемый отрицательный угол, и они, понюхав и покачавшись в шерстинках ковра, канули вниз. Они умели падать, эти люди! Понимали, что падают на постель, и, упавши на одеяло, долго и трудно шли в связке по торосам крахмального пододеяльника к своему плинтусу.

Я вообразил себе, что ночью они роются у меня в кровати, работают по сбору крошек. И о тараканах такую вещь подумать противно, а тут мыслящий враг!

«Галлюцинация», — громко сказал я себе и позвал жену, чтобы она с кипящим чайником прошлась по плинтусам. Но жена ушла, а деятельность моих красавцев развернулась вовсю. Когда я вышел, держась за стену, они умудрились в короткое время вытащить из подушки в пятнадцати местах перья. (Я застал их в середине работы и вынужден был сам вытащить эти перья, чтобы спокойно лечь на подушку, и побросал их вниз, на пол, после чего опомнился, но перья уже исчезли в щели одно за другим.) Они, видимо, устилали себе пол жилища.

Теперь это было их главное развлечение, они наполовину вытягивали перья, и мне оставалось только со стоном довершать их работу. Как-то я попытался перевернуть подушку, и, вставши в очередной раз, чтобы открыть дверь моей садистке, я затем лег лицом прямо в торчащие остья, которые они успели вытащить и на этой стороне подушки.

Я не решался их уничтожить, помня о пятнышке крови. Кроме того, я в одном человечке, гулявшем по пододеяльнику, обнаружил мать с ребенком (в ваточке) и внутренне задрожал. Она шла, как мадонна, лицом ко мне, и младенец плыл личиком ко мне. Я закрыл глаза, а эта самоотверженная мать подобрала у меня с подбородка что-то прилипшее (по виду — крошку желтка) и, нагруженная этим куском и своим ребенком, канула в волны пододеяльника.

Дальше — больше, они начали сколачивать себе мебель, что ли. У них появился кусочек лезвия бритвы (откуда?). Они им отрезали пластиночку от ножки стула и понесли, как лесорубы, эту доску домой. Тюк-тюк, перетюк — слышалось тихое щелканье, это они там то ли гвозди заколачивали (какие?), то ли обтесывали дерево бритвой...

Через два дня стул подломился под моей сослуживицей Мариной, женщиной полной и громкоголосой, которая принесла мне мою зарплату, добрая душа, и поплатилась за это испугом и ушибом ягодиц, так как решила посидеть около меня и рассказать кое-что о нашем новом начальнике, который заявил-де на общей летучке, что знакомиться будем в работе. С этими словами Марина шлепнулась очень даже неожиданно и оказалась сидящей на полу среди обломков. Когда Марина ушла со стонами, стул лежал на полу. Вечером пришла жена и при мне унесла только спинку и сиденье. Ножки исчезли. Я закрыл глаза от изнеможения, а жена решила, что ножки я выбросил еще раньше (куда?! когда?!).

Стало быть, у них уже начался расцвет строительства, они скреблись и колотились почем зря, и некоторое время спустя они пошли на добычу моей картошки с котлетой (я не стал есть), вооруженные платформой на колесах.

Все шло у них в ход, эти воры тащили уже мелкую посуду типа ликерных рюмок, запасали в чашку воду, волокли яблочные огрызки из помойного ведра. С течением времени они начали разбирать паркет для расширения ходов и магистралей, выколупали из оконных рам по кускам пенопласт, начали рвать по ниткам (на канаты) мою простыню...

Я по-своему борюсь, то есть ем теперь все, а остатки спускаю в унитаз, лежу без простыни (пододеяльник для них трудноват). Но ковер они начали просто косить косой, рассчитывая, видимо, начать у себя плетение циновок.

Их волнует также проблема освещения, и однажды я услышал легкий запах дыма ночью. Я лег на пол и увидел прямо-таки тлеющий край газеты, а кругом увидел этих сволочей, сидящих перед своим костром и смотрящих в огонь все как один. Я сбегал на ватных ногах на кухню и плеснул в них чашкой воды. Они восприняли этот ливень как явление стихии и вынесли свои ватки на просушку — ватки, нитки, шерстинки и голых детей! Сил не было на это смотреть, и я им туда поставил свою настольную лампу, чтобы они обогрелись и получили свой свет. Они, видимо, сочли это за явление кометы и с писком спрятались. Вещи, однако, просохли.

Самое главное, чтобы жена не догадалась о моей борьбе. Иначе мне не миновать больницы, а за это время мои лилипуты окончательно разберут паркет, соткут себе половики, оседлают диких тараканов, освоят мусорное ведро и хлебницу и в конце концов устроят какой-нибудь сабантуй с горящей газетой, тут-то нам и придет конец.

Поэтому я их караулю и стараюсь не испугать — не дай господь, они спрячутся в недра нашего дома, как тараканы, а ведь они разумные существа! И не миновать нам газового взрыва и пожарища в результате их войны третьего-второго этажа или какого-нибудь потопа из-за проверченной в трубе дыры группой их геологов...

Они-то погибнут, но мне гибнуть неохота. Я стою на страже и уже понимаю, что я для них. Я, всевидящим оком наблюдающий их маету и пыхтение, страдание и деторождение, их войны и пиры... Насылающий на них воду и голод, сильнопалящие кометы и заморозки (когда я проветриваю). Иногда они меня даже проклинают, как какая-то мать, швырнувшая в меня своего ребенка (то ли без мужа родила, то ли заболел, то ли он у нее шестнадцатый).

Самое, однако, страшное, что я-то тоже здесь новый жилец, и наша цивилизация возникла всего десять тысяч лет назад, и иногда нас тоже заливает водой, или стоит сушь великая, или начинается землетрясение... Моя жена ждет ребенка и все ждет не дождется, молится и падает на колени. А я болею. Я смотрю за своими, я на страже, но кто бдит над нами и почему недавно в магазинах появилось много шерсти (мои скосили полковра)...

Почему?..

Анна и Мария

Жил-был человек, который охотно помогал всем — всем, кроме своей жены. Жена его была удивительно добрая и кроткая, и он знал, что она прекрасно справляется со всеми делами одна, и был спокоен.

И однажды он помог одной колдунье, догнал ее шляпу, которую снесло ветром.

И колдунья с улыбкой сказала: «За то, что ты мне помог, я сделаю тебя волшебником. Но с одним условием. Ты сможешь помогать всем. И только тем, кого ты любишь, ты не сможешь помочь ничем».

И она его утешила: «Так бывает. Врач же не лечит своих детей. Учитель не учит своего собственного ребенка. У них это плохо получается».

И она ушла, оставив человека в растерянности.

И скоро настало время, когда у этого новоявленного волшебника стала умирать его любимая жена, нежная, добрая, красивая Анна.

Так случается, что у человека внутри кончается завод, как у часов — все тише тиканье, все реже.

Волшебник дни и ночи проводил около своей жены, дело происходило в больнице — пришлось отвезти Анну туда, чтобы сделать ей операцию.

Волшебник стоял на коленях у кровати, а жена его почти перестала дышать.

Тогда он бросился в коридор к медсестре, но медсестра ему сказала: «Не надо ей мешать, ей сейчас и так тяжело», — и ушла.

Волшебник просто хотел попросить еще один укол для продления жизни жены, но не получилось, как и предсказала колдунья.

А по коридору санитар вез каталку — высокие носилки на колесах, и у женщины, которую он вез, голова была вся забинтована.

Тем не менее женщина еще дышала, хотя тоже довольно редко.

Волшебник понял, что жизнь ее заканчивается, и предложил санитару сигарету.

Санитар охотно закурил и рассказал на ходу историю болезни пациентки, что та попала в автомобильную катастрофу и практически уже живет без головы, и он не надеется ее довезти на второй этаж в операционную, и это жалко, потому что внизу сидит семья этой женщины, в том числе двое маленьких детей.

Волшебник мигом сообразил, что надо сделать, тут его мастерства хватало, и он обменял тело жены на туловище этой умирающей и изо всей силы пожелал выздоровления для бедной посторонней больной: здесь он помочь как раз мог!

Но, видимо, помощь пришла слишком поздно, и санитар погрузил в лифт полный гибрид умирающего тела с умирающей головой — больная почти уже не дышала.

А тем временем на кровати Анны оказался живой человек, только сильно одурманенный лекарствами, — здоровая голова Анны и здоровое тело той, другой женщины.

Волшебник опустился на колени у изголовья своей жены и увидел, что она стала дышать немного чаще — но при этом Анна начала стонать и жаловаться, что все болит — руки и ноги.

Затем Анна открыла глаза, полные слез, и спросила мужа, долго ли ей еще мучиться.

Муж сообразил, что легкомысленный санитар не все мог знать о состоянии бедной погибающей женщины, что, возможно, и руки, и ноги у нее были переломаны — но как это лечить сейчас, в данной больнице?

Что скажут врачи, если увидят, что больная лежала-лежала в своей кровати, умирала-умирала — и вдруг оказалось, что у нее сломаны руки-ноги?

Врачи столпятся и будут думать, что налицо какое-то преступление, что больную выбросили, может быть, с четвертого этажа или она сама выкинулась, что-нибудь в таком духе. Или ее муж побил палкой, мало ли?

И впору бы было вызывать следователя к такой больной вместо лечения — так думал бедный волшебник.

И тут же он сбегал к врачам и попросил, чтобы больную выписали домой: что ей здесь мучиться, пусть лежит свои последние дни дома.

— Не дни, а минуты, — поправила его присутствующая тут же медсестра, — только минуты. Ей осталось жить максимум сорок минут.

И она опять сказала: «Не мешайте ей, ваша жена занята серьезным делом».

— Да, да, — ответил волшебник, — но я ее забираю.

Он взял свою громко стонущую жену под неодобрительными взглядами врачей и отнес ее вниз, в машину, а затем быстро домчал Анну до другой больницы, сказав, что его жена упала с садовой лестницы и ничего не помнит, говорит всякую чушь про то, чтобы ее добили, дали таблетку «от жизни», дали умереть, и что она неизлечимо больна и так далее, вплоть до сообщения диагноза.

Врачи тут же установили, что у больной множество ушибов, но остальное все в порядке, это вопрос двух недель, и Анна, проклиная все на свете, терпела и жаловалась только мужу, хотя по-прежнему громко и со слезами.

Она больше не требовала себя пристрелить как неизлечимо больную, поскольку после первой же просьбы к ее постели был вызван очень ласковый и внимательный врач, который долго расспрашивал ее о детстве, о снах и не сходили ли с ума ее папа с мамой и от чего умерла прабабушка и не в психбольнице ли.

Больная тут же прекратила свои требования насчет того, чтобы с ней покончили раз и навсегда, перестала просить пулю в лоб, а волшебник задумался: очень уж это было не похоже на его родную Анну, на его сильную и добрую жену, которая всегда больше заботилась о нем и жалела его больше, чем себя.

Остальные сюрпризы начались очень скоро — Анна, приехав домой, стала исчезать надолго, возвращалась с прогулок мрачная и все пыталась что-то вспомнить.

На все вопросы она отвечала, что ей снятся какие-то странные сны и вообще тут многое непонятно — куда девался шрам после аппендицита и откуда такие пальцы, почему родинка на плече и все такое прочее.

Анна при этом прятала глаза, не смотрела прямо в лицо, чего прежняя Анна никогда бы не стала делать, она всегда смотрела прямо в самые зрачки мужа своим печальным и ласковым взглядом. В самое его сердце.

Волшебник затосковал и пошел в больницу узнать, когда умерла та жертва катастрофы, и он очень удивился, узнав, что эта жертва нисколько не умерла, а после удачной операции чувствует себя намного лучше, можно сказать, что врачи совершили просто чудо.

Да и семья больной дежурит буквально круглые сутки около Марии — так звали женщину.

Семья — мама, папа и двое маленьких детей — чуть ли не поселилась в больнице, детей приводят поцеловать маму перед детским садиком и после него, и Мария уже может с ними говорить.

Правда, она очень изменилась, но это бывает после операции, а вот семья не изменилась.

Так рассказал волшебнику словоохотливый санитар и пустился с пустой каталкой вдоль по коридору.

Волшебник заглянул в палату и увидел молодую женщину с забинтованной целиком головой (свободен был только рот) под неусыпным наблюдением мужчины в очках, который смотрел на нее не отрываясь, как некоторые родители смотрят на своих маленьких спящих детей.

Волшебник мгновенно оказался в белом халате, в шапочке и с трубочками в ушах, как и полагается доктору.

— Так, больная, — сказал волшебник, — как сон, как страхи, как предчувствия?

Он сел с другой стороны кровати, и Мария вдруг беспокойно зашевелилась и протянула к нему руку.

Волшебник увидел эту знакомую ему до мельчайших подробностей руку, родную руку, и чуть не заплакал, поняв, что больше никогда он не сможет поцеловать эти пальцы.

— Да, — сказала Мария сквозь бинты, — меня мучают сны, что где-то недалеко мой дом, мой любимый муж, мои книги и сад, и мне снится, что я больше никогда туда не попаду. И каждую ночь я плачу.

— Бинты промокают от слез, да, — отозвался ее муж, солидный, крепкий мужчина в очках. — От этого болят раны.

— Да, она, видимо, должна измениться после катастрофы, так бывает, и бывает даже, что люди начинают выдавать себя за других. Это явление ложной памяти, я вам говорю, — сказал волшебник.

— Ничего, лишь бы она вернулась к нам, нам она нужна любая.

Волшебник не отрываясь смотрел на бинты, и ему казалось, что там, под слоем марли, как бабочка в коконе, лежит лицо его любимой Анны, лицо той Анны, которая его любит.

А Анна домашняя, которую он спас, перехитрив судьбу, — она не настоящая.

Тогда волшебник, притворившийся доктором, под беспокойным, страдальческим взглядом мужа начал снимать бинт за бинтом, и внезапно приоткрылось ему совершенно чужое лицо, мелькнуло со всеми своими ярко-красными шрамами и грубыми швами.

Волшебник не стал разбинтовывать до конца эту совершенно незнакомую ему женщину и сказал:

— Еще не все зажило, операцию придется повторить через неделю.

Он уже знал, что это не Анна и что он сможет ей помочь.

— Так бывает, доктор, что даже руки изменились? — прошептал несчастный муж.

— Да, все бывает, полное изменение. Через неделю ее возьмут на операцию и все вернется, не беспокойтесь, — сказал волшебник и удалился.

Внизу, в вестибюле, он прошел мимо испуганной притихшей семьи Марии — двух пожилых людей и двух малышей. Он остановился, сказал им несколько ободряющих слов и тут же почувствовал, что его жена Анна где-то здесь.

Она была тут, она пряталась в больничном саду.

Волшебник отступил, стал неразличимым и только наблюдал, как Анна медленно, неуверенно, как слепая, которую ведут на веревке, движется по направлению к детям, входит в больничный вестибюль, приближается к их скамейке...

Дети встрепенулись, старики зашевелились, подвинулись, и Анна села рядом.

Через несколько минут дети уже стояли, прижавшись к ее коленям, и играли ее бусами, без передышки щебеча.

Старики тоже оживились, придвинулись к Анне, причем старушка то и дело касалась ее рукой.

Стало ясно, что Анна тут сидит не первый раз.

Волшебник вернулся домой и стал читать свои книги — те, которые у него завелись после встречи с колдуньей, — но только в одной книге, в самом конце, он нашел ярко светящуюся строчку: ОБМАНЩИК СУДЬБЫ.

Волшебник перебрал всю свою жизнь за последнее время и признал, что действительно схитрил, обвел вокруг пальца свою судьбу, сделал то, чего ему было не дано: ему ведь нельзя было помогать тем, кого он любил, а он помог Анне!

И теперь маялись две несчастные женщины, не понимающие, кто они, и сам он мучился и был глубоко несчастен.

И Анна — это ясно — больше не любила его.

Волшебник долго думал, как ему быть, и наконец он пошел разыскивать свою колдунью.

Он просидел два часа в очереди в ее приемной среди детей-калек, плачущих старух, суровых мужчин и мрачно настроенной молодежи.

Счастливые сюда не заглядывали!

Очередь двигалась медленно, но никто не возвращался — видимо, существовал другой выход.

Наконец волшебник вошел к колдунье.

Она засмеялась, увидев его, и сказала:

— Не обманешь судьбу-то!

Он ответил:

— Что же теперь делать?

Колдунья, однако, пригласила следующего, а волшебнику указала на дверь в противоположной стене.

Он вышел, но вышел куда-то не туда. Он вышел в какое-то поле, пустынное, только горы виднелись на горизонте.

Как ни вертел головой волшебник, он ничего не увидел, даже дома колдуньи.

Наконец ему пришлось пойти к горам (сверху лучше видны окрестности), и он шел и шел, ночью и днем, не чувствуя ничего, ничем не питаясь, и был даже рад, что не сидит дома вдвоем с несчастной Анной, сердце которой, видимо, так и осталось любить своих детей и свою семью...

Он шел, потеряв счет дням и ночам, он не хотел колдовать, он смотрел то на облака, то на звезды, иногда рвал и надкусывал какие-то травинки.

И все больше и больше его тревожила мысль о том, что он исковеркал жизнь многим людям, пытаясь обмануть судьбу.

Он сохранил две жизни, а зачем нам жизнь без наших любимых?..

Однако всему приходит конец, и волшебник взобрался на высокую гору, увидел там дверь — совершенно такую же, как в доме колдуньи, вошел в эту дверь и через минуту выбрался на улицу своего города и пошел к себе домой.

Он никого там не обнаружил, нашел только многодневную пыль и засохшие цветы. Кроме того, со стены исчез портрет Анны, а из ящика стола все ее фотографии.

У волшебника сильно билось сердце, как от страха.

Он помчался в больницу, нашел санитара, угостил его хорошей сигаретой и узнал много нового: оказывается, семья той молодой женщины, которая попала в автокатастрофу, заявила жалобу, что им подсунули совершенно не того человека, и они прекратили сидеть у постели больной, как только с нее сняли бинты.

Мало того, ее муж тут же нашел себе другую и увез ее.

В жалобе было указано, что больная целиком и полностью не похожа на их больную — ни лицом, ни фигурой.

Эти люди ушли очень быстро и даже не узнали, что пациентка почти слепая: именно поэтому она не узнала своих детей и мужа, и ее тоже никто не пожелал узнавать.

— А где она? — спросил волшебник.

— Да кто ее поймет, — ответил санитар, — ее выписали два месяца назад... Говорят, она сама не знала, куда идти, все твердила про какие-то сны, что нужно искать сад и библиотеку... Повредилась в разуме, что ли... На другой день она вернулась и стояла около кухни, и я вынес ей каши с хлебом... Но нам же нельзя кормить посторонних. Больше она не приходила.

Волшебник мчался домой, к своим книгам, и твердил: я не знаю ее, я ее не люблю, не люблю!

Он прибежал к себе в библиотеку, раскрыл нужную книгу и начал читать, и прочел про скамейку в соседнем парке, про женщину в мятой, грязной одежде, которая медленно копалась палочкой в урне, про то, как она близко поднесла к глазам корочку хлеба, разглядела ее и так же медленно, машинально положила в карман...

— Я ее не люблю, — громко сказал волшебник, — я могу ее вылечить!

Он схватил хрустальный шар и послал в самую его середину луч света. В центре шара задымилось, показалось дерево, под ним скамейка, на скамейке, спиной к волшебнику, скорбная, застывшая фигура с палочкой в руке...

Но все погасло.

Он опять послал луч света в свой шар.

— Не может быть, все должно получиться! — закричал волшебник. — Я ее не знаю! Я ее просто жалею, ничего больше!

Внутри шара опять задымилось — и погасло.

Тогда волшебник схватил со стула шаль Анны, ее желтую шаль, которую она сама, своими руками когда-то связала и которую не взяла с собой в другую жизнь, потому что перестала быть Анной.

Волшебник помчался в парк и нашел ту скамейку.

Он накинул желтую шаль на плечи совершенно чужой женщины, и она, обернувшись, подхватила шаль знакомым движением своей худой, бледной руки и так подняла брови и с такой жалостью и добротой посмотрела на волшебника, что он заплакал.

Но она его не разглядела, а протянула к нему руку и погладила по щеке.

— Не знаю, как тебя звать, но это не важно, — сказал волшебник.

— Мария, — ответила ему Анна своим тихим голосом.

— Пойдем домой, — сказал волшебник. — Здесь сыро, ты простынешь.

И они пошли домой.

СКАЗКИ

Маленькая сестра

А тут жила-была девочка, маленькая, худенькая.

Жила, никому не видная, взаперти в детском буквально доме, ни мамы ни папы, и все равны, всем одинаково живется — так считалось.

Но некоторые были равнее (это такая шутка ходила среди своих), они были везучие, удачливые.

Таланты — они всегда в первых рядах, и из этих рядов они первыми выскакивают на свободу, в открывшийся мир, вон из надоевших стен, и это происходит чуть ли не при салюте, снаружи доносится буквально взрыв аплодисментов или нечто похожее на то, короче, там начинается краткая шумиха.

Итак, девчонок разбирают, сначала самых лучших, которые всегда заметны, всегда вертятся у выхода.

Но еще не взятые бедняжки надеются, что и им выпадет счастье выйти на волю. И в оставшемся коллективе победительницам, конечно, завидуют, и те, оставленные, те, кто покинут судьбой, они тоже рвутся в первачи, в востребованные, в лидеры, на свободу.

И они добиваются своего в конце концов, покидают тесные для них стенки родного дома, и вот опять наступает денек, еще одна вырвалась при громе салюта, и ряды узниц редеют.

Так что в один прекрасный момент выясняется, что только маленькую, невзрачную худышку никто не взял, она одна осталась в доме, слоняется из угла в угол, места себе не находит и всё думает — неужели я действительно хуже всех?

И получается, что да.

И бедняга затихает в уголку.

Хотя надежда никогда не покидает живые существа, и девочка все-таки робко думает, что ей удастся покинуть опостылевшие стены, что распахнутся двери и кто-то ее заберет к себе...

И тут однажды раздаются голоса, что-то вроде просьбы, причем с отчаянием: «Ищите, ищите, где-то они были», и «Как хочется горячего чаю», и «Зажигалка кончилась, тьфу!», «Нет, ничего нету, все обшарил. Так сказать, бросил курить», «Замерзнем же, ищите, у меня точно нет»...

И вдруг все затрещало, зашуршало вокруг дома нашей бедной девочки, закачалось, подпрыгнуло высоко-высоко, похоже что к небесам (девочка откатилась в угол), и раздвинулись стены ее дома, и раздался крик: «Ура, есть!»

А там, во внешнем мире, была тьма и стоял лютый холод, только наверху, во тьме, сияли какие-то мерцающие огни, прекраснее которых девочка ничего не видела в своей маленькой жизни.

Она сразу как-то потянулась вверх, эти огни ее звали, звенели, переливались, но к девочке склонились какие-то живые великаны, и кто-то ахнул: «Всего одна?» — а кто-то сказал: «Ветер, но попробую. Дайте бумагу, нету? Ну дайте хоть деньги».

«Деньги? — подумала маленькая девочка. — Что это такое? Почему все задумались? Завозились?»

— Нет, она не годится, — сказал кто-то безнадежно, — слишком тонкая. Она нас не спасет. Замерзнем тут.

И вдруг девочка всеми силами своей души закричала без слов: «Я! Я сильная! Я вас спасу! Я крепкая! Попробуйте!»

И тут чьи-то толстые, грубые пальцы вытащили ее из раздвинутых дверей, загородили ладонями, а потом сильно ударили ее по бедной голове — и вдруг все взорвалось, загорелось, душа девочки превратилась в огромное пламя («вот оно что», последней мыслью догадалась она).

И от ее вспышки загорелось что-то еще, рядом, потом целый сноп искр поджег мерзлую веточку, она затлела и долго набирала огня, чтобы передать его другой ветке, потолще.

— Ура, — коротко сказал кто-то. — Огонь. Какое счастье, что спичка нашлась. Всё, продержимся. Костер.

А маленькая спичка вовсе не погасла.

То есть тельце ее рассыпалось в прах, но душа все еще горела, она полыхала в костре, согревала протянутые к ней руки, грела консервную банку со снегом, из которой потом люди жадно пили кипяток, и она долго не гасла — пока не загудел первый появившийся на трассе грузовик и не утащил на тросе заглохшую машину.

Костер догорел, а душа маленькой спички улетела в темные утренние небеса, к другим огням, к звездам. Они ведь тоже горели во тьме, как и она, и они ее позвали издалека:

— Сестра-а!

Судьба Ноля

Жил был Ноль, одинокий мужчина, лысый и с пузиком, как все. И, как у многих одиноких мужчин, у него была семья на стороне, то есть мама и сестренка.

Маму звали Точка Ивановна, а сестру — просто Запятая. Он их навещал не очень часто, а то мама ему слова не давала сказать, спросит, ответит и тут же сама говорит: «И точка!»

Сестренка же, наоборот, жадно слушала Ноля (дома его называли Нолик) и все время требовала продолжения, то есть присоединялась к брату, поставив запятую, и его слова повисали в воздухе. Попробуйте сказать: «Я еще ни с кем не познакомился, запятая» — и увидите, что от вас ждут рассказа, что было дальше-то.

И то и другое утомляло мужчину, потому что речь всегда и при всех обстоятельствах шла о его женитьбе.

Мать говорила:

— Женись, и точка.

А сестра:

— Женись, запятая, есть и такая кандидатура, запятая, и такая кандидатура, запятая.

Нолик наконец выбрал себе невесту, она была хоть и носатенькая, но стройная, больших требований не предъявляла, вполне скромно существовала. Звали ее Единица.

Говорили они, между прочим, и о будущем. И что-то уже сообща решили.

Узнав об этом, мама и сестренка возбудились и на семейном совещании потребовали, чтобы Единица пришла в гости.

Единица явилась, ее встретили, усадили. И тут же Точка Ивановна, мать Нолика, выступила против этакого союза:

— Как это получается, вы семья ноль один? Что это за фамилия? Это что, вызов при пожаре? Такой и цифры-то нет. Точка.

Сестренка тоже вмешалась в разговор:

— Ну если это просто ноль один. А вот если ноль целых — запятая — один — то вот тогда получится цифра! Настоящая причем, ноль целых одна десятая!

Гостья, до сих пор молчавшая, Единица, живо так откликнулась именно на эту фразу:

— Почему это вызов при пожаре? И зачем это ноль целых одна десятая? Не так вы смотрите на нашу семью, у нас не ноль один, а десять! Если будет ноль один, то я тогда уменьшусь в десять раз! И вызов ваш при пожаре нам с Ноликом ни к чему! Мы с ним создадим крепкую семью, десятку!

Мама Нолика ответила на это так:

— А почему это вы впереди нас? Муж главнее жены, и точка. Он должен быть впереди. И он всегда будет главой всей нашей семьи, какие бы новости нас не ожидали! И точка!

А Единица спросила у Нолика:

— Мы что, должны будем все согласовывать с твоей сестрой и мамой? Всегда? Или вообще над нами будут смеяться, что мы вызов при пожаре? Мы же с тобой говорили про цифру десять?

— Давай отложим этот разговор, — сказал полностью обалдевший Нолик, и беседа прервалась навеки.

Единица уехала и так больше никогда и не объявилась. Стало известно затем, что она нашла себе сговорчивого парнишку, какого-то двойку, и в замужестве стала больше, то ли двенадцать, то ли вообще двадцать один.

А Нолик все искал, заказывал встречи в Интернете, но с кем бы он не пришел в свою семью, всегда возникал один и тот же вопрос: почему это Нолик должен стоять в конце? Семья этого не приветствует.

И все невесты пожимали плечами и исчезали.

Семья все упирала на то, что мужчина главней. А невесты — все как одна — не соглашались стать в десять раз меньше.

И только когда на горизонте появилась римская цифра десять, то есть X, семья развеселилась и стала уговаривать эту X, чтобы та согласилась быть в семье второй, то есть семья будет ОХ. Вы будете ох какие, и Нолик впереди! И точка.

Но римская десятка уточнила, что вместе с мужем собирается вернуться на родину предков.

— И что, — завопила Запятая, — тогда нам всей семьей придется эмигрировать в страну римских цифр? А там все у вас ненормальные, цепляются друг к другу как жуки, а запятых вообще нету!

Этого, конечно, мама и сестра допустить не могли.

И римская десятка ушла навеки, хотя была с прекрасной фигурой и вообще иностранка.

Нолик, однако, несмотря на все обстоятельства, все-таки однажды обнаружил в Интернете многодетную мать-миллионершу, то есть единицу с шестью нулями. Она писала, что осталась одинокой, хоть сама по себе женщина красивая (прилагалась фотография Мэрилин Монро с поднявшейся от вентиляции юбкой), однако никогда не верила в любовь и вообще считает, что всем женихам нужны только ее деньги.

Нолик позвонил ей по секрету от семьи и назначил встречу в кафе.

Миллионерша пришла со всем своим выводком, ее дети-нули уселись за стол и стали смотреть на нашего Нолика с выражением типа «мы есть хотим, чё».

Нолик заказал всем по стакану чая с сахаром.

Миллионерша так растрогалась, что чуть не заплакала — это был первый случай, когда жених угостил ее детей. Все всегда ждали, что она сама оплатит общий ужин.

Короче, миллионерша и дети выпили сладкого чаю и все вместе поехали на маршрутке к ним домой, и по дороге все перемешались.

Главное, что Нолик почувствовал себя своим среди шести мужиков-детей.

Миллионерша отперла дверь дворца, и все вошли.

И тут она, по привычке пересчитав нули, вдруг воскликнула:

— Так я теперь стою десять миллионов! Все, женимся срочно!

На свадьбу она не позвала никого. На каждый чих не наздравствуешься!

Все нули хотели ради праздника выпить сладкого чаю, но миллионерша сказала, что чай на ночь вредно, а сахар это вообще белый яд.

Так что выпили холодной воды из-под крана.

И Нолик был на седьмом небе от счастья — ведь именно он принес в этот дом, в дом своей жены, девять миллионов! То есть, оставаясь в тени супруги, он теперь сам стал миллионером!

И он, кстати, оказался бережливым и не собирался эту сумму транжирить.

Хотя сестра, узнавшая о его женитьбе, оскорбленно намекала, что хотелось бы тоже занять место в жизни брата, и вилла в Монако опять-таки не помешала бы им с мамой.

Ну и она получила по заслугам!

— Некуда вас мне брать, понимаешь? — объяснил он ей по телефону. — После всех тебя не поставишь, тебя в конце не может быть!

— Еще бы! — гордо отвечала Запятая.

— Ну, — продолжал брат, — а среди нас если тебя внедрить, прости, мы сразу уменьшимся! Я не могу этого допустить, я в доме самый ответственный. Эти нули вообще даже считать не могут, в первом классе какой год сидят. А я принес с собой девять миллионов.

— А откуда это ты эти миллионы взял? — спросила сестренка Запятая. — Скрывал от нас?

— Эти возможности во мне всегда были, — отвечал Нолик, — но без жены они такие не проявились бы. Они вышли наружу только после свадьбы.

— Всегда были? — засомневалась Запятая. — Всегда ты был ничто, самое меньшее в мире! Только со мной ты хоть что-то мог значить, жаль, что красивые и худые невесты не захотели тебя. Ни одна.

— Кто не захотел, а кто даже очень захотел, и пока до свидания, — отвечал на такие вещи миллионер, — ты только не беспокойся.

— Вот все мне это говорят, — отвечала Запятая — а я беру и беспокоюсь, и я волнуюсь только за тебя! Кто ты? Что ты рядом с этой миллионершей? Ты был личность, индивидуальность! Подавай на развод, дели имущество и возвращайся. Мы сами найдем куда наши миллионы положить.

Нолик объяснял, что у них с женой брачный контракт, при разводе каждый остается при своем!

И прекращал беседу, чтобы не слушать очередных обвинений.

Но и без этих разговоров Нолику приходилось туго, приемные дети-нули с ним не здоровались, да и миллионерша на него все время наезжала (то нельзя, это нельзя, и дети самое святое, а ты ноль, молчи в тряпочку и хлебай из-под крана).

И в результате однажды новоявленный супруг сбежал ото всех.

Он ушел в никуда.

Но его нашли и приспособили к государственной работе.

Сейчас он трудится в городском строительстве, его там просят присоединиться к ценам: построят мост, допустим, за десять миллионов, а потом зовут Нолика, и у них получается, что мост стоил сто тех же млн.

Ну и мало ли в каких отчетах о митингах может пригодиться ноль!

Так что теперь у него все благополучно.

Царевна-лягушечка

Итак, начинаем сказку.

Конечно, жила-была совсем небольшая лягушка, маленькая, как пуговка от рукава.

Но она, несмотря на свой неудачный рост, тоже мечтала о будущем, о сексе, о таинственной стреле, которая вонзится в кочку, и вода пойдет кругами... О прекрасном Иване-царевиче, который найдет стрелу. (А мы уже прискакали и ждем! Ведь что такое талант? Это дар очутиться в нужное время в нужном месте.)

И царевич запримет нас и возьмет с собой! Как Царевну-лягушку!

Ведь бабушки, расквакавшись на ночь, передавали своим внучкам эту правдивую историю зачем?

Вот за этим.

И ориентация у них у всех была на Наташу Водянову, недаром такая фамилия у нее и глаза большие, наши. Рот тоже.

И давным-давно бы портреты царевича с супругой-лягушкой (Н. Водянова) и головастенькими наследниками украшали все камыши и осоку, если бы не повышенная влажность. И все юные лягушки буквально молились бы на эти таинственные портреты — почему таинственные, да потому что никто из болотных никогда не видел ни царевича, ни ту лягушку, которая, по слухам, попав головой в железную крышку от баночки, никак не могла высвободиться, а именно в тот момент подслеповатый царевич нагнулся за своей стрелой.

И он увидел это страшилище — вверху металлический головной убор типа короны, а внизу только рот до ушей, всего остального было не видать, мутная вода. И он, видимо, подцепил это дело стрелой. И принц, конечно, был малость придурковатый, раз он мог вообразить, что крышка от банки — это корона и что на той, что трепыхается голым пузом вперед, уже можно жениться (ему приспичило, видно, а царская семья разрешает породняться только с коронованными).

И вот наша незамужняя маленькая лягушка, как и все остальные эти зеленые девчата с ластами, мечтала найти подходящую крышечку от банки и на всякий случай надеть на голову. И постоянно ее носить.

И, как и другие, эта лягушка размером с пуговичку мечтала о путешествиях, дальних странах, о балах и дворцах, каретах и самолетах, не понимая того, что там везде необходимо будет для нее и родни устроить повышенную влажность, ну как у них в болоте. И чтобы было много комаров и осоки. А какое, к примеру, болото можно организовать в самолете? Туда даже аквариум не пропустят.

Водянова недаром же избавилась от прежнего имиджа!

Так что лягушечка пока что жила как все, то есть прыгала, плавала, квакала, ела подводное спагетти, а иногда перехватывала и мясца, когда мимо проплясывал комар. О мухе можно было только мечтать, она для маленькой лягушки была как для человека целая овца — и что бы этот человек делал, если бы овца с громким ревом носилась у него над головой?

Но вот наступил момент (иначе зачем мы рассказываем сказки?), когда жизнь лягушечки резко переменилась.

Над ней сгустилась чья-то тень, беднягу сплющило, как клещами, причем клещи эти была горячими, уау! И тельце бедной несостоявшейся царевны сжалось под страшным давлением, и она, плоская как бумажка, вознеслась из родного болота и была сброшена в темный сухой подвал, в глубокую яму с грубыми стенами и щелью на дне. Там лягушечка и застряла, не в силах квакнуть и подать сигнал маме и сестрам, что я гибну, прощайте, спасите!

Лягушка даже заплакать не могла, потому что мгновенно высохла. Ее трясло, болтало, терло в грубых стенах, она хватала воздух запекшимся ртом, и ее огромные (как у Наташи) глаза оставались открытыми во тьме.

Так продолжалось целые века.

Вместо маленькой живой лягушки в мрачной трясущейся тюрьме болталось сухое тельце с висящими, как веревочки, лапками.

Потом что-то произошло, тряска прекратилась, и этот сухой комочек опять сдавило и понесло наружу. Возник свет, резкий и горячий.

— О, какая маленькая, — прогремело, как гром. — Вон банка, возьми, зачерпни из бочки. Там дождевая, теплая.

И — о чудо! — где-то вдали забулькало.

И лягушечка с высоты плюхнулась в болото!

Она сначала пошла ко дну, напиталась водой, расправила ручки-ножки, полежала там.

— Подохла? — загремел тот же голос. — Вот зачем было брать! Это ведь живое существо ты убил, Иван.

Иван! Это царевич!

Лягушечка изо всех сил рванулась наверх.

— Ма, она жива, — сказал Иван-царевич.

Лягушечка протерла лапками глаза.

— Ой, какая миленькая! — произнес громовой голос. — Ну ты подумай, как мы умеем!

Иван молчал.

Лягушечка поплавала стилем кроль, а потом пошла на дно отлежаться.

— Утонула, — сказал Иван и откашлялся.

— Иван, сломай-ка веточку, мы ей в банку положим, чтобы она могла сидеть.

Лягушке тут же сунули прямо под нос свежеспиленное бревно. Она еле увернулась.

— Пошли ужинать, — прогремело над банкой. — Неси ее, на подоконник пока поставим.

— А чем ее кормить? — спросил Иван.

«Он заботится обо мне», — радостно подумала лягушка и забралась на бревно. Было неудобно, но кое-как она все же приняла позу «сидеть в задумчивости», то есть укрепилась лапками, свесила брюшко, вздула горло и вытаращилась.

И тут Иван стал ее осыпать чем-то кисловатым. В глаз попало. Лягушка бросилась в воду. Там это дело плавало везде.

— Я ей хлеба покрошил, ма, — прогремел он.

— Ей комара надо! — ответил бас.

— Ща.

Дальше что-то бухало, металось, грохотало. Свистел ветер.

— Поймал! — зарокотал Иван.

Лягушке на голову брякнулся труп комара.

Иван и та громовая башка склонились над банкой.

Лягушке было неловко жрать мясо прямо при них, тем более что комар оказался суховатый — видимо, оголодал. Лягушка запихнула его под корягу, чтобы он напитался водой. Будем отрывать по кусочку.

— Она никак не придет в себя, — сказал тот голос. — Всё, Иван, бери учебник и иди на крыльцо учи на воздухе. Потом мне расскажешь. Люблю грозу в начале мая и дальше.

— Ну ма-а, — завыл Иван, — а поиграть?

— Ты сегодня совсем не занимался, ты что? Троечник.

— Можно я лягушку поставлю около себя? На ночь?

У лягушечки забилось сердце. На ночь!

— Пусть на подоконнике пока побудет, придет в себя, — прогремело в ответ. — Знаю тебя, надуть ее хочешь? Как твой Борька, мучить ее собрался? Затем и принес. Она живое существо, ты понял? Беззащитное создание! Маленькая красавица! Борька садист растет, добром это не кончится. Восемь лет, здоровенный лоб, старше тебя, а уже себя показал. Естествоиспытатели нашлись. Иди уже!

Лягушка ничего не поняла — что это такое, естествоиспытатели? Но она знала одно: Иван-царевич ею интересуется!

Они оба, два великана, угрохотали прочь, и лягушечка принялась за комара. Она запихнула его к себе в пасть и долго глотала. Потом присела переваривать.

За окном потемнело, начал накрапывать любимый дождь.

Пришел Иван. Хорошо, что она успела покончить с комаром, было бы неудобно перед женихом. Она сидела на бревнышке как модель — слегка отставив ногу, часто дыша и пряча под лапками самое заветное, что есть у лягушек: толстый живот.

Иван стал копаться в карманах. Что-то нашел. Оглянулся.

Вытянув губы, он воткнул в них какую-то длинную зеленую трубу невероятной красоты, почти прозрачную, нагнулся над банкой, пальцами полез к лягушке...

«Сейчас будет свадьба!» — догадалась она и потупила взор.

Сердечко ее забилось. Вот как, оказывается, это у них происходит. Зеленая прозрачная труба... Он собирается ее мне воткнуть! Может быть, будет больно. Такая огромная!

Но все равно не то, что у нас: взвали жениха на загорбок и вези в общей колонне, пока он там что найдет у тебя, фу! Старшие девчонки рассказывали.

Иван приблизил лицо и трубу. У него были огромные, как лужи, глаза.

В это время за окном, но очень близко, полоснула молния и — бабах! — грянул гром.

Иван с трубой вздрогнул и отшатнулся.

И лягушка от испуга дала свечу в воздух и полетела вон из банки. Мимо пронеслись какие-то завесы, колонны, подул сильный ветер.

Она летела, летела и шлепнулась в мокрую траву.

Ливень усилился. Началось самое блаженство — общий массаж.

Тут же она по привычке высунула язык и — чпок! — поймала мокрую мошку. Это все равно что человеку засунуть в рот готовую сосиску.

Как хорошо на воле, подумала лягушка.

И она квакнула.

Она знала, что у нее серебристый, очень красивый голосок.

Иванушка, слушай! Ты найдешь меня!

И она заквакала, торопясь.

И тут же ей ответил кто-то: «Я тут, рядом. У вас прекрасный голос! Кто вы?»

Она, конечно, сказала:

— Я, ква, Царевна-лягушка, ква! Я сбежала от Ивана-царевича в окно! Он меня ищет и хочет жениться!

К ней подпрыгнул красавец, зеленый и блестящий, с огромными глазами и великанским ртом.

И остальное общество окружило их.

— Вы Царевна-лягушка? А где корона? — заквакали бабы.

Она отвечала так:

— Корону я потеряла в доме Ивана-царевича, когда он хотел немедленно на мне жениться, прямо сейчас, еще до свадьбы, и вообще он был такой страшный! Глаза как лужи! Ему не терпелось! И прямо трубу наставил мне в низ живота, труба была у него зеленая, длинная!

— Ква-ква! — закричали все. — Вчера Борька-бандит с этой трубой надул нашу бабушку! Она взорвалась! Убийцы они!

— Да, я испугалась и прыгнула из банки! И корона моя упала! Что мне дороже — жизнь или та корона? Я ни за что не вернусь! Меня ждут дома!

Зеленый юноша тут же сказал, что проводит ее, как царевну, с почетом.

Он посадил лягушечку себе на плечи и помчался к ее болоту.

Там их встретил встревоженный семейный хор. Лягушечка рассказала обо всех своих приключениях: и про карман, и про банку, и про хлебные крошки, и про комара! И затем самое страшное — про трубу Ивана-царевича, направленную в низ живота! Ей бы никто не поверил, но чужеземец так преданно кивал каждому ее слову, так жадно смотрел на лягушку и так часто называл ее «моя царевна», что все размякли.

Пришлось тут же играть свадьбу.

И наша лягушечка, согласно обычаю, взвалила на себя огромного жениха и поволокла его под дождем, чтобы он по дороге справил все свои обязанности...

На обратном пути она говорила ему, что ничего хорошего — быть царевной. Это как плен, понимаешь? А ты — самый лучший. Мне с тобой было хорошо!

Он чуть не заплакал от благодарности и снова забрался к ней на закорки.

И она, как всякая верная жена, подчинилась его воле и поволокла мужа вдаль.

Мешок с лампочками

Однажды в некотором доме лампочки отказались гаснуть.

Пришла ночь, а они все горели и горели и при этом говорили:

— Что же это такое получается! Утром мы не светим, днем мы не светим — ну это еще понятно. Но почему мы ночью не светим! Мы хотим светить и ночью!

Такие горячие оказались души.

И они светились, хотя все в доме было выключено.

Тогда вызвали электромонтера.

Он был человек простой и просто вывинтил первую попавшуюся лампочку.

Но эта лампочка не хотела сдаваться. Она горела в руке электромонтера сама по себе, совершенно одна, без помощи патрона, проводов, столбов и электростанции.

Монтер тогда взял лестницу и вывинтил все остальные горящие лампочки. Он положил их в мешок, подумал и понес к себе домой, мало ли, может, пригодятся!

Он шел домой глубокой ночью, и вот там, где он проходил, начинали петь птицы — они думали, что восходит солнце, такой свет шел из мешка.

Но электромонтер двигался быстро, и птицам приходилось вскоре опять ложиться спать, потому что монтер уносил мешок все дальше, скрывался, допустим, за горой, и постепенно все темнело. Мешок с лампочками удалялся, и получался как бы закат мешка.

А в следующем месте, к которому монтер только еще приближался, получался восход мешка с лампочками и начинался новый день, и птицы пели до самого заката мешка с лампочками.

Так что получалось, что мешок продвигался все время при радостном пении птиц.

Монтер, однако, добрался до своего дома и положил мешок с лампочками у крыльца, а сам тихо, чтобы никого не разбудить, вошел в дом.

Но у крыльца ведь произошел восход мешка с лампочками, как и везде, и в доме все сразу же проснулись, жена начала жарить утреннюю колбасу, а дети спрятали, как всегда по утрам, головы под подушки, не желая вставать.

Электромонтер дал команду всем немедленно ложиться, но в городе народ уже тоже пробудился, пошли трамваи и наделали шуму, а часовые мастера срочно переводили общественные часы, которые показывали два часа неизвестно чего, в то время как на дворе явно было раннее утро.

Тогда электромонтер стал думать, что же делать. И наконец он решил послать лампочки наложенным платежом куда-нибудь в отсталую страну, где еще не везде есть электричество, — просто как гуманитарную помощь.

Он тут же сколотил ящик, положил туда газет, очень осторожно запаковал мешок, надписал «осторожно НЕ БРОСАТЬ» и отправил авиапочтой в джунгли.

Пока самолет с ящиком с мешком лампочек, сверкая как солнце, летел над океаном в джунгли, сотни пароходов сбились с пути, не зная, как быть, — в небе постоянно находилось солнце, а то и два, и одно из них закатывалось совершенно не в той стороне, куда указывали приборы!

Капитаны не могли додуматься, что это не солнце закатывается, а просто над их палубой пролетает тот самый почтовый самолет, и получается заход самолета, ящика и мешка с лампочками.

В джунглях вместе с прилетом мешка с лампочками начался большой карнавал, в конце которого все лампочки раздали в маленькие деревни, и первое время все было хорошо: никто из жителей не ложился спать, все танцевали и пели под своей лампочкой. И даже звери приходили из джунглей на огонек, и вокруг лампочек, теснясь и отталкивая друг друга, стояли стеной слоны, удавы, крокодилы и попугаи.

Однако через какое-то количество суток многие устали и захотели выспаться в темноте, но не тут-то было! Лампочки осветили собой все джунгли насквозь.

Тогда вожди собрались на совещание и, нервно зевая, постановили отослать обратно такую гуманитарную помощь, что и было сделано с большим трудом: люди буквально шатались от бессонницы и постоянных танцев под лампочками.

И лампочки забросили обратно в мешок, мешок сунули в тот же ящик с непонятыми буквами на борту и со знаком «И!» — и отправили за большие деньги по обратному адресу.

Электромонтер чуть не заплакал, когда ему на почте вручили его же ящик — по счастью, было еще дневное время, но скоро должен был по всем законам природы наступить вечер, а веселые, радостные после путешествия лампочки сияли еще ярче.

Электромонтер, идя в обнимку с ящиком, тогда сказал:

— Слушайте, лампочки! Из-за вас никто не может спать. Люди же устали, поймите вы это.

Лампочки молчали и только светились изо всех сил.

— Вы никому не оказались нужны, — заявил монтер далее. — Вас поэтому вернули обратно, а мне вы тоже без надобности. Из-за вас не спали мои дети, я сам и моя жена, а соседи на нас ругались, и все часы в городе были остановлены только из-за вас. Целый город встал на голову, подумать только, из-за каких-то лампочек, которые решили быть не как все. Настоящий электрический свет горит, только когда его включат! И за большие деньги! А вы решили быть как солнце, что ли? У нас уже есть солнце. И оно ведет себя как положено, восходит и без вопросов заходит в определенном месте и строго по режиму! А вы мешаете, ясно вам?

Так сказал монтер и оставил мешок в ящике около крыльца.

Войдя в дом, он первым делом соорудил на окнах светомаскировку из одеял и старых шинелей, заткнул полотенцами щель под дверью и сказал своим детям:

— Прошу ложиться спать!

А дети уже все знали, что за посылка лежит у крыльца и светится, и они, как только монтер удалился чистить зубы, быстро отогнули шинель с окна. Но на улице было по-прежнему темно, и дети легли спать.

Электромонтер, в свою очередь, заглянул к детям и увидел, что шинель на окне висит сбоку и без толку, но и с улицы ничего не светит!

Он не поверил своим глазам. Он побежал на улицу проверить мешок с лампочками, и оказалось, что все они до единой перегорели по совершенно неизвестной причине.

А у него, пока он чистил зубы, уже возник генеральный план, как продавать негаснущие лампочки по одной для нужд владельцев погребов.

Да что там! Государству для метрополитена! И мало ли как еще можно использовать эти славные, беззащитные, сияющие создания — например, в военных целях, это непаханое буквально поле! Для освещения аэродромов и отделений милиции, приемных покоев и особо глубоких оврагов!

И тут его встретила полная тьма.

Он бережно отнес ящик — весь целиком — на свалку, снял фуражку и постоял над лампочками, шепча про себя слова любви и восхищения, как всегда на похоронах, но ничего не помогло, стояла все та же полная тьма, и дул неприятный ветерок от мусорных куч.

Монтер на обратном пути сильно переживал

и несколько раз обозвал себя дураком: само шло в руки счастье, а теперь ничего не вернешь.

И с тех пор он стал задумчив, умен, любит грустить впотьмах и говорить:

— Эх, знавал я один мешок с лампочками!

А когда солнце пригревает особенно хорошо, электромонтер, бывалоча, и вздыхает:

— Светит, как мешок с лампочками!

Но наша история на том не кончилась.

Это только кажется, что если ты лично ушел, то на этом финиш.

На самом деле лампочки тоже устроились в жизни — один бывший бизнесмен, в настоящее время впавший в нищету, копаясь в мусоре, обнаружил их, глубоко задумался и отнес мешок с лампочками к себе в домик.

Этот домик был у него временный, из картонных коробок и мешков для мусора, а мешки лежали на крыше его дома и, скрепленные веревочками и найденными шнурами, защищали картон от дождя.

А поскольку этот бывший бизнесмен на самом деле был гениальный изобретатель, временно безработный и бездомный, то он смотрел-смотрел на мешок, думал-думал и наконец достал одну лампочку, поглядел на нее (а там под стеклом болтался волосок) — и вдруг изобрел, что надо просто повернуть эту лампочку несколько раз, и на каком-то десятом–двадцатом повороте волосок зацепится за другой волосок, ура.

И, сидя в своем ящике на свалке (такой у него был домик), наш изобретатель вращал лампочку и представлял себе, что когда ее починит, то продаст кому-нибудь и на эти деньги купит себе белого хлеба! А если удастся починить еще три лампочки, то, глядишь, и на бутерброд с сосиской хватит!

Так он мечтал, и вдруг, после многих поворотов у него не то что волосок зацепился, а просто лампочка вспыхнула!

— Так! — воскликнул потрясенный изобретатель. В голове его все перевернулось. Как это может быть! Ни проводов, ни тока — а лампочка зажглась!

Он не стал поворачивать другую лампочку. Он сразу все понял.

И он немедленно придумал, что делать.

Подождав, пока на свалку приедет машина с новыми поступлениями мусора, он стал активно искать и нашел себе почти новую куртку с небольшой дырой, затем заслуженные джинсы, похожие на кружева (кто-то постарался их доносить до конца, но не смог), и, наконец, немного сплюснутые туфли, которые вполне можно оказалось надеть, размочив их в луже.

После того он пешком пошел в одно ужасное место, которое славилось как ночной клуб, и сказал охранникам, что он изобретатель. И попросил быстро-быстро вызвать директора для переговоров.

Один охранник остроумно возразил ему:

— Знаем-знаем, ты изобретатель как на работу не ходить.

Но изобретатель сказал:

— Я тебе дам тысячу, если я окажусь прав.

— А если окажешься неправ? — спросил охранник, которому в этот момент было нечего делать.

— Каждый останется как был, и никакого убытка.

— А я буду переживать? Оставшись без своей тысячи? А? Нет уж, иди отсюда, — отвечал охранник, поворачиваясь к просителю широкой спиной.

— Ах так! — воскликнул изобретатель и удалился.

Тем временем стемнело.

А наш изобретатель изобрел, как отключить свет во всем этом ночном клубе (а поскольку это его личное достижение, мы не будем выдавать тайны, каким путем он добился результата).

Тут же на улицу выскочили охранники, за ними несколько голых артисток, посудомойка в колпаке и уборщица с ведром. И только потом вышел директор.

Их встретил улыбающийся изобретатель, который достал из картонного ящика свою светящуюся лампочку и стоял в стороне (а ни один фонарь не горел).

О чем пошел разговор у изобретателя с директором, неизвестно, но, когда приехала аварийная команда и ничего не обнаружила, никакой поломки, а свет по-прежнему не горел, и команда уехала с обещанием вызвать завтрашнюю смену, то директор сам нашел изобретателя (он сидел в своих кружевных джинсах на камушке у гаражей, освещая происходящее неугасимой лампочкой). При этом директор сказал:

— Так, пошли ко мне, я согласен.

— Нет, — ответил изобретатель, — меня не проведешь. Я уже однажды так сел за стол переговоров, после чего оказался без денег, ключей и без дома! Понятно? Без дома вообще!

Они еще немного поговорили, после чего директору была дана лампочка, и он, держа ее в руке, как факел, сбегал в свой подвал за деньгами.

Затем занавес закрывается. Потому что наши негаснущие лампочки работают теперь сутками, весьма довольные собой — но в разных местах, преимущественно по подвалам.

Изобретатель со временем получил несколько ключей — от квартиры, от машины и от небольшого личного самолета марки «Боинг».

А вот монтер (мы его помним) иногда, улучив момент, говорит заходящему солнцу:

— Закатываешься? Ну и катись. Вот был у меня мешок с лампочками, вот он без моего разрешения не закатился бы, нет!

И солнце быстро прячется.

Один исключительно добрый волшебник

О дин исключительно добрый, но небольшой волшебник как-то раз накануне Нового года завопил и проснулся весь в слезах, потому что ему примерещилось нечто очень печальное: звери-калеки! И как они будут встречать праздники?!

Вообще-то родители старались его ограждать от чужих невзгод, за ворота государства не пускали, помня историю молодого Будды, который взял да и покинул семью, познав горе этого мира!

Поэтому в их сказочной стране все было устроено прекрасно, всегда цвели сады (на одном дереве, допустим, и груши, и розы), елки вечно стояли в игрушках, в ручьях текла минеральная вода, а то и яблочный сок, в зависимости от времени дня. Иногда, на ночь, теплое молоко.

Но сны — кто их там знает, из чего они возникают. Так что наш добрый маленький волшебник проснулся плача от горя. И причиной тому, вероятно, был тот факт, что накануне он ознакомился с книгой «Жизнь животных» в четырех томах. Простой учебник, а сколько там было ужасного!

Наш добрый волшебник читал быстро.

И он мгновенно узнал, насколько тяжело жить животным.

Они лишены многого — так было написано в этих правдивых книгах. Звери все как один почти калеки. Чего, например, стоит существование безруких птиц или китов, у которых имеются в наличии только глаза, туша, фонтан и хвост!

И наш исключительно добрый волшебник решил сделать несчастным живым существам новогодние подарки, причем первым попавшимся: тем, кто ему встретится в лесу, в пруду или, допустим, в окружающих горах. Он хотел им подарить что-нибудь великолепное: фонтан от кита, к примеру, ослу — или корону павлина кошке!

И волшебник тайно вышел из дома и направился в лес.

Это был лесок так себе, не выходящий за пределы дворцовых угодий. Но там тоже наверняка водились какие-то мелкие бедные существа.

И добрый волшебник буквально помчался им помогать.

Добежавши до пруда, он вызвал для переговоров первую попавшуюся рыбу. То есть поймал ее руками.

И, увидев это несчастное водное создание (голова, живот и хвост, и это все!) во всей его обездоленности, добрый маленький волшебник быстро приделал ему ноги. При чем здесь фонтаны и короны, тут выручать надо! И он с облегчением выпустил двуногую рыбу обратно в ее родную стихию.

А рыба эта была щука. И что же произошло?

Вот пошла она на дно, встала там на ноги и стоит!

Весь народ плавает мимо, а щука стоит столбом, с ноги на ногу переминается. Затем, что делать, пошла напролом. Идет медленно (все-таки кругом вода, водоросли). А есть-то хочется! Щука — это вечно голодная рыба, тем она и знаменита.

И тут плывет навстречу ей карась, прекрасный ведь обед! И здоровается со щукой как бы обалдевши от невиданного зрелища: стоит перед ним рыба на довольно кривых ногах и покачивается. А щука, как всегда на карасей, рот распахнула, зубы показала и кинулась! Но упала с ног, брякнулась о дно.

Лежит, ногами перебирает. Песку наелась.

Карась пляшет рядом, глазам своим поверить не может: щука валяется как полено, ноги раскинувши по сторонам.

Весь водоплавающий народ столпился, смеется, а щука собралась, встала сперва с большим трудом на колени, потом (рук-то нет, опереться нечем) кое-как взгромоздилась во весь рост и побрела к берегу, искать этого идиота, который ее покалечил.

А волшебник тем временем, довольный собой, поймал крота, пролил слезу над его слепотой и наскоро приделал ему органы зрения, причем раздобрился, вспомнил книгу «Жизнь животных» и глаза эти позаимствовал у жирафа: большие, печальные, с длинными ресницами, широко распахнутые! Они еле уместились на лице крота: у него мордочка узкая, не мордочка, а настоящее рыло. И вдруг такие очи!

И что же случилось с кротом?

Он огляделся, хлопнул ресницами раз-другой и обалдел от яркого света: солнце, небо, деревья, трава! Это еще что такое, подумал крот. Где я нахожусь? Прикрыл он глаза лапами, не помогает. Решил закопаться в землю по старой привычке.

А он всегда делал это так: рыло вперед, а лапы загребают лишнюю землю назад. Так роется туннель, это почти как метро.

И вот бедняга крот сунулся мордой в траву, разгреб камушки и песок, погрузил нос в ямку, но тут ему в глаза полезла какая-то труха.

Крот заморгал, пустил слезу, стал вытираться лапами. А лапы-то грязные! Немытые от рождения!

Итого: ресницы запорошены, в поле зрения песок, смотреть невозможно.

Короче, раза три он пытался спрятаться в родную землю, но опять-таки даже в закрытые глаза лезла всякая дрянь, что за дела!

Мало того, впервые крот рассмотрел условия своей жизни, эту темень беспросветную, яму, а в ней корешки и мусор. В первый раз он увидел эти немытые руки и черные ногти... Нет! Есть вещи, которые нельзя наблюдать во всей их правдивости! И собственная внешность к ним частенько относится!

Тогда крот решил пойти искать волшебника и требовать от него, чтобы тот вернул ему его предыдущие глазенки, которых почти не было.

А волшебник тем временем карусели по своей территории и увидел роскошного петуха во всей его красе: тот пытался пролететь небольшое расстояние, но вынужден был немедленно приземлиться. Потом он опять вспорхнул и тут же шлепнулся на лапы. Метр в длину, и всё. Не больше.

— Ага! — сказал себе наш исключительно добрый волшебник и быстренько снабдил петуха орлиными крылами.

И что случилось с петухом?

Он неожиданно для себя, захлопав этими огромными опахалами и собираясь кукарекнуть, взмыл в небо.

Там ему стало не по себе: во-первых, страшновато, воет ветер, во-вторых, кур-то волшебник оставил во дворе далеко внизу! А куры, чтобы вы знали, составляют главное дело в жизни петухов. Ими он командует, водит этих дур куда хочет, буквально кормит добытыми червяками, защищает от чужих петухов и вообще делает с ними все что самому заблагорассудится. То есть ведет жизнь хозяина, главы рода и чуть ли не султана.

А тут пустые небеса вокруг, и вон кто-то уже с большим интересом летит навстречу! Петух, треща крылами, бестолково понесся вон отсюда, ища безопасные места, потом вообще оголодал, соскучился и решил снизиться. Сложил крылья и тут же пошел камнем вниз, но испугался, замахал своими несуразными веерами, опять вознесся. Что же это, подумал он. Что делать-то?

Наконец после долгих маневров удалось сесть.

Местность выглядела незнакомой, тут же собаки мчатся наперерез, лай, гам, пришлось опять встать на крыло.

После долгих метаний, когда петух наконец оказался над родным домом, он уже был без сил и ряпнулся пока что на крышу.

А кур уже увели на ночевку в сарай, и кто их увел, забеспокоился петух. Разные думы приходили ему в его бедную головенку, пока он ночевал, то и дело вспархивая на всякий случай. Ему мерещились чердачные кошки, крысы и вообще всякая жуть.

Чуть забрезжило, он уже спрыгнул наземь, прошелся по своей территории, подметая огромными крыльями мусор.

И только выпустили его кур, как петушище понял: они его чураются! Избегают вообще! Стали называть на «вы»! А петухом себе избрали молодого Петю, который сразу пошел задиристо кукарекать своим жидким тенором, а затем подбежал к отцу и вызвал его на честный бой, обознавшись.

— Ты чё, Петрован? — спросил его изумленный папаша.

Однако пришлось взлететь на дерево: молодой наступал, а на возможностях отца сказались усталость и бессонная ночка, опять же эти опахала волоклись позади, гася скорость.

И оттуда, с верхов, петух стал поневоле наблюдать, как его собственный сынок распоряжается, бегает за изменницами, и они все как одна позволяют себя догнать!

Попутно в его голове роились безумные мечты найти волшебника и клюнуть его как следует, чтобы он вернул ему старые крылья.

А тем временем наш добряк-кудесник пожалел: а) лягушку, которой он дал длинные руки вместо ее коротких передних лапок, б) кота, не умеющего как следует петь, — ему он подарил великолепный голос и весь репертуар теноров Краснодарского оперного театра, в) бедную черепаху, не умеющую дать отпор, — ее он снабдил хорошими, крепкими рогами, и г) он также похлопотал о неказистой дворняжке — она получила для красоты складной павлиний хвост. Который волокся за ней по земле и неожиданно для собаки раскрывался стояком, как веер!

Теперь получилось так:

Лягушка с длинными руками ушла вон с болота и просила милостыню по глухим лесным дорожкам, а на вырученные деньги покупала пиво;

оперного кота, в свою очередь, выгнали вон хозяева, ночами он выл то арии из Верди, то переходил вообще на композитора Чайковского с его романсом «Мы сидели с тобой», и бедному тенору пришлось туго, он побирался по помойкам и вынужденно пел за сараями, прячась от летящих камней; а знакомые кошки не только не подпускали его к себе, но и прятались в подвалы все как одна при первых же звуках арии «Как одна безумная душа»; коты же буквально сразу злорадно находили его по пению и нападали не предупреждая;

что же касается черепахи, то она, получившая рога, не могла уже прятать голову в панцирь и пошла сдаваться в зоомагазин, где ее поместили в стеклянный террариум большого размера и поставили несусветную цену — еще бы, сама нормальная, а рога были взяты с лося! Ветвистые!

Собака же с павлиньим хвостом вертелась на месте, желая достать и откусить его. Частично ей это удалось, но в неожиданный момент хвост все равно, треща, раскрывался и вставал дыбом. Хорошо, что вмешались другие собаки, они дружно покусали павлиний хвост и его хозяйку заодно, оставивши только какие-то прутья как от дворницкой метлы, которые имели свойство неожиданно становиться торчком!

И на том нашего добряка позвали обедать.

Но вот перед самым Новым годом (старшие волшебники подпустили снежку, который сказочно окутал леса и поля) маленький колдун решил наведаться к своим подопечным и полюбоваться ими в их новом виде.

Но закончилась эта экскурсия плачевно: на лесной дороге его чуть не поколотила руками лягушка; кот, завидев своего мучителя, заорал не своим голосом «Фигаро здесь», а на словах «Фигаро там» он прыгнул волшебнику на закорки с намерением порвать его новогоднюю шубку когтями.

Крот, глядя на маленького изобретателя своими карими очами, хлопал ресницами и бормотал нецензурные ругательства, а также требовал вернуть ему его слепоту!

Щука же, в свою очередь, стояла по колено в воде, задыхалась и возмущенно выбрасывала ноги — то одну, то другую — в сторону волшебника, безмолвно показывая этим, что забери ты их обратно!

А черепаха, сидевшая в террариуме рогами наружу, не стала ничего говорить, а просто плюнула в сторону изобретателя. Попала на стекло и заплакала.

Собака же виляла своими обтерханными прутьями и жалобно скулила.

И добрый волшебник сам чуть не заревел и сказал: «Ну простите меня, я выполню высказанные вами пожелания» — и тут же отменил все свое колдовство.

Так что в лесу наступил мир и покой.

После чего новоявленный волшебник отбыл на елку в родной дом, где его похвалили, утешили, вытерли ему слезы и сопли, сменили памперсы, а затем мама подвела его к елке с подарками, а папа перехватил наследника и стал подбрасывать его до потолка.

Ну мал был наш волшебник, не вырос еще. Потому и глуп. Полтора годика всего. Звали его Сенька.

И он не знал, что всякое улучшение неуклонно ведет к ухудшению!

Талант

Ж**ил-был музыкант, который со-
чинил свою собственную песенку: трам-пам-пам, парам-пам-
пам!**

То есть он не был еще музыкантом, но, куда бы
он ни приходил, везде и всюду этот человек же-
лал спеть свою песенку: трам-пам-пам, парам-
пам-пам! А это и есть признак настоящего ар-
тиста.

Все остальные музыканты играли что им велели, за что им деньги платили или чему их учи-
ли. Или по заказу публики — давай «Мурку»!
И только наш талант выделялся среди всех: он
исполнял одно и то же, то есть свое сочине-
ние — трам-пам-пам, парам-пам-пам!

Он пел на ночь, рано утром, за едой — и даже, выйдя из дома, на ходу умудрялся сыграть на
заборе соседнего завода (или на тротуаре под-
метками) эту песню.

Он играл ногами, руками или пел, а в особенно веселые минуты исполнял собственное произведение как человек-оркестр: и танцевал, и прищелкивал пальцами, и изображал губами свою песенку: трам-пам-пам и так далее.

Но однажды он до того развеселился, что в ответ на замечание со стороны властей сыграл эту мелодию прямо на лбу полицейского!

Разумеется, полицейский обозлился и арестовал хулигана, не думая, что перед ним обыкновенный талант.

«Хорошо же!» — решил музыкант и сыграл свою песенку и на столе дежурного в отделении полиции, и ногами на полу коридора, и руками по решетке камеры, куда его проводили с нехорошими обещаниями.

Всю ночь наш бедный арестант играл свою музыку, не давая спать ворам, обманщикам и хулиганам, и его несколько раз побили — что не помешало ему исполнить ту же мелодию на груди врача, который тем временем мазал его шишки зеленкой: трам-пам-пам, остальное вы уже знаете.

И когда его стали судить за нарушение порядка, вместо последнего слова музыкант исполнил свою песенку на скамье подсудимых, при этом ногами он стучал по полу.

Судья, толстая женщина, опытный работник,

бабушка трех трудных подростков, метким глазом посмотрела на несчастного и сказала:

— Да какой же он хулиган, я чё, нормальных хулиганов не знаю? Он больной, вы чё!

И она отправила его в тот дом, где живут печальные пациенты и мужественные санитары.

Но и там наш музыкант сыграл свою песню где только мог: на шее шофера, на рукаве заведующего и даже лежа на носилках простучал ее ногами, так как руки ему повязали, а когда его уложили в кровать и стали давать лекарства ложечкой, он зубами на ложечке сыграл все что хотел: трам-пампам! Разбрызгав при этом лекарство по всему лицу медбрата. Что имело свои последствия, потому что если все больные начнут лупить микстурой в глаза медработников, то это уже будет такой дурдом!

Короче говоря, он совершенно не подчинялся правилам, и к нему вызвали старенького профессора, который славился тем, что он не раз укрощал удавов, некоторых буйных депутатов и даже группы школьников в театральном буфете!

Профессор посмотрел на бедного больного — у него даже рот был заклеен, чтобы этот музыкант дал поспать своим тихим соседям по буйному отделению.

Профессор сказал:

— Отдайте-ка вы мне его на один день!

— Берите, — сказали усталые санитары.

Музыканта развязали и расклеили, он обрадовался и сыграл свою музыку на носу профессора.

Профессор похвалил молодой талант и прочел ему небольшой доклад на тему о том, что его дарование нуждается в обучении, что нельзя играть все время одно и то же, надо знать и другие песни!

— Мне нравится моя, — возразил больной.

— А вот тогда поедем покажем вашу песенку специалистам, — воскликнул профессор.

И музыкант сразу же и с большой радостью согласился.

И на санитарной карете профессор повез будущего исполнителя не куда-нибудь, а в помещение большого оркестра!

Там лежали, стояли и висели десятки инструментов — скрипки, виолы да гамба, лютни, спинеты и клавесины, а также рожки, трубы, тубы и челесты.

— Вот тебе тридцать инструментов на выбор, — сказал профессор, — и на каждом ты можешь сыграть свою песню хоть по пять раз! Сыграешь?

— Еще бы, — согласился наш музыкант.

И он ухватил здоровенную трубу под названием фагот и стал дуть в нее с большой силой, но ничего не вышло, фагот громко сказал «Пук!», и новоявленный ученик застеснялся.

— Хорошо, попробуй вон на скрипке, — посоветовал профессор.

— С удовольствием! — сказал музыкант, быстро сел на рояль, схватил скрипку, положил ее на колено и начал пилить по струнам смычком.

Раздался визг как от пяти поросят, и бедный скрипач расстроился.

Потом ему дали побарабанить на клавесине, и тут даже терпеливый профессор вздрогнул от ужаса.

— Не получается, — признался несчастный музыкант.

— А сейчас мы пойдем еще кое-куда, — ответил на это профессор и повел музыканта по коридору.

А там, за дверью соседней комнаты, стоял молодой человек, держал скрипку на плече, а смычком водил буквально в воздухе и играл так красиво, что наш новоявленный студент заслушался и расплакался.

— Но это еще не все, — заявил профессор, — вот как играет клавесин!

В соседнем кабинете девушка в белом платье и с косой сидела, закрывши глазки, и перебирала пальчиками по клавишам, и это была еще более чудесная музыка!

Музыкант все плакал и плакал, бессильно распустив руки по бокам, а профессор утер ему слезы полой больничного халата и сказал:

— Но есть еще один инструмент, он называется барабан! Попробуй-ка!

И наш музыкант стукнул разок, стукнул другой, ему понравилось, и он тут же начал от всей души стучать по барабану. Ему было удобно и приятно, это был такой прекрасный гул и грохот, что стулья вокруг начали приплясывать. Разумеется, он выстукивал свою песенку.

Сбежались оркестранты, а их руководитель сказал:

— У парня талант!

Короче говоря, барабанщика выписали из больницы, и он своим ходом устроился в вечернюю музыкальную школу для взрослых, класс ударных, и там он мог стучать сколько хочешь, причем он выучил самые разные песенки — и трампам-пам, и тубидуби-тубидуби, и умц-умц-умц, и опа-опа!

Профессор давно лечит другие трудные случаи, а барабанщик все барабанит, радуясь своему счастью (никто не арестовывает и не кладет в больницу).

И он думает: надо же, какой долгий и трудный путь надо было пройти человеку, чтобы обнаружить такое место, где и самому хорошо, и люди довольны, то есть не затыкают уши.

Теперь он барабанит на свадьбах, на парадах и на танцах, но, как каждый профессионал, он совершенно не желает играть в свое свободное время, а говорит: «Я не нанимался бесплатно стучать!»

Вместо этого наш музыкант, который теперь многому научился в своем любимом деле, завел себе новый интерес — то есть каждую свободную минутку он рисует — и зарисовал уже все обои в своей квартире, тротуар вокруг дома, все стены по соседству, забор соседнего завода и часть его трубы вверх на четыре метра!

Причем он орудует баллончиками с автомобильной краской, вы все видели такое рисование, проезжая по улицам нашего пестрого города.

И чем это может кончиться, никто не знает.

Может быть, будет выставка, а может быть, крупный штраф. Или опять полиция...

Наш блохнот

Блохи живут в блохословенном мире, в блоханстве.

Они все время пьют. И они мечтают о мировом блохосподстве.

Чтобы все говорили на языке блохинди.

Блохи называют друг друга «Ваше блохородие»!

И самые блохастые заседают в блохударственной блдуме, поют «Блоше, блоху храни», это их гимн. За них проблохосовало блошинство блох!

Там была партия «Яблохо», и в ней оппозиционный блох, но им все время угрожали: «Блохудра, а не хо, сблохочешь по блохаре?» И дела «Яблоха» стали блоховаты.

И блохи блдумы блохоговеют перед своим верховным блоханом за то блошенство, которое испытывают, живя на пищеблохе (на соб. или кошк.), они там ведут свое блохозяйство, т. е. пьют, на закусь берут блохарчо и блохинкали,

240

и у них есть даже День блоходарения, когда они поют блохором и ходят с блозунгами блохороводами по блошиному рынку. И повсюду видны блоходарные блохари.

И, напившись красненького, они читают вслух своего поэта, Александра Блоха, «по вечерам над ресторанами горячий воздух блох и сух»...

Как результат, все друг друга ублохотворяют, добиваясь неземного блошенства, дело не блохитрое, и возникает многоблошие — т. е. все неблохо.

И если ты не лох на букву «б», не блошизик, не блошара и не блохам, не враг блохобществу, ты сможешь неблохо прожить в своей блохате, т. е. пить в заблоховременно блохоустроенном жилом блохе (на соб. или кошк.).

И тогда можно будет просто облохотиться на всё. Пускай у всех все блохо, у нас блоходенствие.

И над тобой проплывут облоха. Блохокрылые блошадки.

И, выражаясь неблохородно, это будет блохуенно!

Правда, ныне наступили неблохополучные времена.

Потому что ежели пить неблохонамеренно, совершать облошности, т. е. блохищения, то блоходетель, этот блохастый пищеблох (соб. или кошк.) начинает блохоискательство.

И это блохамство!

Пищеблох сблошь и рядом погружается в блохань с антиблохином или опрыскивается облохом яда, то есть совершает блохохульство.

И блохутатам в блохударственной блдуме твердят: «Опять сблоховали!»

И говорят: «Не сблохуй и не сблохуен будешь!»

Но там сидят такие блохитрые, что добывают из недр пищеблоха прямо блоханками, на блохаляву. И не слушают блохоразумных блох, как бы облохнув, т. к. считают, что если пришло блохополучие, то надо жрать. И они пьют, пока совсем не поблохеет!

А блохеры приводят цифры в своих блохосферах в Сети, кто блохапнул и сколько.

И пишут, что надо бы на пищеблохах ставить свои блохпосты, чтобы заблохировывать такие незаконные блохозяйства.

Правда, потом у блохеров дела идут блохерово, ими начинает интересоваться блохударственная блохуратура.

Так что главные блохи блоханства пьют без ограничений.

Пьют кровь и даже ее проливают.

Гусь

Один молодой человек, большой неудачник и к тому же по имени Гусь — опоздал на последний сеанс в кино.

А все дело было в том, что ему сказали, что это не только последний сеанс в нынешний день, но и вообще последний сеанс — после него закрывают этот кинотеатр. И не только этот, но и вообще все кино в мире. Так что это был по-настоящему последний сеанс. После него ничего больше не будет.

И Гусь решил пойти на этот последний сеанс.

Он долго собирался и, как всегда, опоздал.

Когда он подошел к кинотеатру, оказалось, что билетов нет, даже касса уже закрылась.

Вообще все было закрыто, над витринами и входом погашены огни, были убраны афиши и фотографии, снята доска с названием фильма, так что Гусь даже не узнал, на какой фильм он опоздал. Ну уж не везет так не везет.

Так что Гусь постоял-постоял перед закрытыми дверями и уже решил уходить, как вдруг он увидел, что у входа стоит пара мужчин в очень длинных серых пальто.

И он обратил внимание на то, что пальто у них очень длинные, до земли и даже ниже.

Гусь сначала застеснялся к ним подходить, но потом подумал и подошел. Он все-таки хотел узнать, как называется этот последний фильм.

Однако в последний момент Гусь подумал, что нехорошо вот просто так подходить к незнакомым людям и спрашивать их, как называлось то кино, на которое ты опоздал. Теперь-то не все ли тебе равно?

Поэтому на всякий случай Гусь спросил у мужчин первое попавшееся, нет ли лишнего билетика. Ну что обычно спрашивают около кино.

Те двое, которые стояли к нему спиной, повернули к нему головы на очень подвижных шеях, а сами оставались стоять как раньше.

И они сказали по очереди, находясь к нему и спиной, и лицами, один начал:

— Мы продюсеры, и у нас остался один билет. Но на очень плохое место.

А второй продолжил:

— На самое последнее место в зале. С него вообще ничего не будет видно.

Но Гусь пошутил, что раз это последний сеанс и он последний человек, который идет в кино, то пусть уж у него будет и самое последнее место.

Эти двое переглянулись и, стоя к нему спинами, оба как-то протянули ему с двух сторон билет.

— А сколько он стоит? — спросил, взяв этот билет из двух рук, Гусь.

— Потом, — сказали один.

— Отдадите, — подхватил другой.

Гусь вообще привык, что ему страшно не везет, и поэтому, получив билет, очень обрадовался.

Он прошел мимо продюсеров, постучался в дверь кинотеатра, ему вскоре открыли, и это опять была удача, могли и не открывать. Все же уже началось!

И в полной тьме Гусь пошел по проходу в самый конец зала.

Он шел и шел, шел и шел, но ни разу не обернулся посмотреть на экран, что там делается, так хотел быстрее добраться до своего места.

Такое было впечатление, что он шел полночи, так что, когда этот Гусь добрался до своего пустого кресла, он первое время никуда не смотрел. Просто сидел, закрыв глаза, и отдыхал.

Потом он снял шарф с шеи, шапку с головы и стал смотреть вперед.

Оказалось, что он сидит действительно на очень плохом месте.

Экран оттуда выглядел таким крошечным, что на нем ничего нельзя было рассмотреть. Ноготь большого пальца Гуся и то был по размеру шире.

Однако Гусь смирился с этим, его же предупреждали продюсеры, что это билет на самое последнее место в зале, так что не имело смысла удивляться, почему ему ничего не видно и не слышно.

И он начал осваиваться в темноте и даже спросил неизвестно у кого, о чем фильм.

Откуда-то ему ответили, переставши храпеть:

— Действие происходит в желудке.

Тогда Гусь решил, что если не видно экрана, то хоть можно посидеть и с кем-нибудь поговорить.

Гусь вообще был очень общительным человеком. Все время ввязывался в чужие разговоры. Его даже иногда за его советы били особенно злые спорщики.

И, привыкнув к темноте, Гусь увидел, что впереди него сидит старушка, которая вяжет на спицах белый носок, и увидел петуха, который стоял на ручке кресла боком к экрану и смотрел одним глазком на Гуся. Другим он, наверно, глядел на экран, хотя там ничего было не видно.

С петухом говорить было незачем, а вот старушки вообще любят поболтать.

— Простите, — обратился к ней Гусь, — вам ведь, наверно, плохо видно? Как же вы вяжете, если кругом такая темнота? Вы, может быть, вообще не различаете, как вязать? И плетете что попало, так ведь? Только идиотки вяжут в таких условиях, правда ведь? Или вы большой мастер по вязанию вслепую? Я не ошибся? Гусь знал, что такое скрытая похвала, чтобы не впрямую говорить, а с сомнением.

Правда, за это, не дослушав его, Гуся тоже побивали, и не раз.

Но тут в ответ на его заковыристый комплимент старушка молча повернулась и показала Гусю зубы — совершенно так, как их показывают зубному врачу, то есть широко открыв рот.

Гусь заглянул туда и увидел у нее во рту горящую автомобильную фару, довольно большую.

И он мгновенно все понял.

Этим она дала ему понять, что разговаривать с ним она не может, но ей все хорошо видно.

Потому что во рту у нее светит фара.

— Ну как вы это хорошо придумали, — похвалил ее Гусь. — С этой здоровенной фарой. Наверно, она от грузовика? Не отвечайте, не надо. И хорошо, что вы ее спрятали в ротовом отверстии. Вам все видно, а другим ваш свет не мешает. Какой большой у вас рот, я подумал! Вы видите свое вязанье, но оно не мешает вам смотреть кино! Которое вообще не видать. Вы просто молодец! А как кино называется? Не отвечайте, я же вижу, что у вас во рту фара и вы при всем желании говорить не можете. А какой вкус у фары? Хотя не отвечайте, я понял, вы не в состоянии сказать ни слова. Я беру нашу беседу на себя. Кому вы вяжете носок, дайте подумать. Или вам самой, или еще кому-нибудь. Но не петуху, ему он точно не пригодится. Если петух не возражает, вы можете вынуть фару изо рта, потому что никому тут экрана не видно, и ваш свет не будет нам мешать. А так все смогут смотреть на вас, на фару, на ваш носок и на петуха. Это будет как ночью в поезде, когда за окном темно. Простите, я вам не мешаю?

Старушка в ответ положила себе в рот свой недовязанный носок со спицами, потом клубок, петуха и кресло, на котором сидела, и с открытым ртом — все, видимо, там не поместилось — быстро пошла по проходу, направляясь к экрану.

Гусь сразу же побежал за ней. Во-первых, она не ответила на его вопрос, а он всегда стремился услышать ответ. Даже ругань. Во-вторых, она могла обидеться на что-нибудь, мало ли. Старушки непростой народ.

Так они мчались, и в конце концов старушка вошла в экран, а Гусь последовал за ней.

На экране Гусь ее догнал и в тот момент, когда она уже выложила все имущество изо рта, как следует извинился.

А она тоже смогла ему ответить и наконец высказалась:

— Ничего-ничего, молодой человек, заходите, сейчас у нас тут начнется бал, и я вас познакомлю с моей дочерью-красавицей.

Тут на экран вошли старушки и старички, кто в чем — кто в телогрейке, в ватнике, кто в суконных ботах, а кто обмотанный поверх пальто шалью, а кто и с марлевым бантиком поверх шапки.

Включили музыку, были поданы стаканы с горячим чаем, затем каждому поднесли по полкило черного хлеба и по два кусочка сахара. Все разместились у длинного стола, а одна бабушка в черном халате подавала.

— Вот моя младшая дочь-красавица, — сказала знакомая старушка, сидя в кресле во главе стола, причем петух, как и раньше, стоял на подлокотнике ее кресла, а погашенная керосиновая лампа была сунута под стол.

Вязанье свое старушка засунула себе за воротник.

Гусь опустил голову, потому что постеснялся бы даже глянуть на дочь-красавицу, о мог только мечтать об этом, но ни разу ее не видел.

Все девушки, которых он повидал на своем веку, не казались ему красавицами, а казались ему индейцами на боевой тропе. У них имелись в запасе длинные острые красные или черные ногти, лица все были густо закрашены, а волосы вообще выглядели как гривы у львов.

Но вообще Гусь радовался, что попал в хорошую компанию с угощением, где Гусь никогда еще не бывал.

Он ел свой кусище хлеба, запивал его горячим чаем и хрустел сахарком, но боялся смотреть по сторонам — вдруг в этот момент на него посмотрит дочь-красавица!

— Знакомьтесь, это моя дочь, — сказала старушка, а петух закукарекал и стал взад-вперед ходить по подлокотнику.

Гусь с удовольствием стал смотреть на петуха — он любил безобидных маленьких животных, тем более что петух был очень красивый, с длинными перьями на хвосте.

— Ее зовут Петя, — сказала старушка — Петя, познакомься с Гусем.

Гусь сильно удивился. Но пожал петуху лапу.

У петуха были длинные когти, которые напоминали Гусю его впечатление от боевых индейцев. Мало того, глаза у петуха были обведены ярко-красными кругами, под подбородком болтались висюльки, а на голове стоял дыбом ярко-красный гребень. Слов нет, петух был красив, но какой-то вызывающей красотой.

— Красавица, что и говорить! — вмешалась старушка в черном халате.

— Она похожа на индейца, — сказал Гусь неожиданно для себя, — она у вас боевая.

Закончив есть, его старая знакомая встала.

А петух, сидевший на ручке ее кресла, вскочил ей на плечо.

Старушка сказала:

— Петя встает очень рано. Характер у Пети веселый, жизнерадостный, Петя часто поет. Хотя и любит иногда подраться. Я давно собиралась выдать Петю замуж, но все не было подходящего жениха. Так что я рада, что вы со мной познакомились. Вы сами первый.

— А как же... — сказал Гусь, но промолчал. Он хотел спросить: как же так можно выдать замуж такого боевого петуха?

Старушка его поняла и продолжала:

— А вот как: свидетели есть, а вы распишитесь вот тут.

И она показала на пол.

Она спустила петуха с плеча, и он стал бегать по полу и скрести его когтями, было похоже, что он расписывается буквально как курица лапой.

Похоже было также, что он ищет на полу крошки, и он действительно нашел несколько огрызков хлеба и склевал.

После чего захлопал крыльями и закукарекал.

— Теперь вы распишитесь, — сказала старушка.

Она велела Гусю встать, дала ему карандаш.

Гусь нагнулся и расписался на грязном полу: «г», «у» и «с» с мягким знаком.

После чего старушка сказала:

Гусь

— Объявляю вас мужем и женой! Пир начинается!

Тут бабуля в черном халате внесла в алюминиевом ведре множество пакетиков хрустящего картофеля. Старички и старушки брали по две, по три пачки и весело хрустели. Завели музыку, и Гусь подумал, что надо пригласить все-таки бедную птицу на танец. Стоит в углу, клюет корочку.

И он подошел, взял петуха на руки и стал носиться по кругу. Все захлопали в ладоши.

Гусь плясал первый раз в жизни, он не знал как это делается, подпрыгивал и пытался танцевать вприсядку, да еще и петух сильно ему мешал, бил крыльями и норовил клюнуть в глаз. Попал в лоб. Гусь уронил петуха, тот полетел и сел на стол.

На этом старушка поднялась, сказала «Кончен бал», взяла петуха, сунула его в руки Гусю со словами «Объявляю вас мужем и женой! Идите по большому жизненному пути вон отсюда», собрала свое имущество, кресло, спицы, клубок и носок, запихнула все это себе в рот и ушла.

Гусь с петухом в руках спустился с экрана, так ничего и не поняв.

И с этого вечера у Гуся началась тяжелая жизнь: петух у него дома начинал орать в четыре утра, везде ронял перья и помет. Спал он на спинке кровати, причем гадил не переставая.

В квартире Гуся, вообще аккуратного человека, запах стоял как в курятнике, причем когда хозяин уходил на работу, петух бился о стекла, желая тоже выйти на воздух. И, видимо, собирал народ, потому что под окнами Гуся вечно валялись окурки и жвачки. Соседи требовали порядка, и бедный Гусь мало того, что подметал под окнами, но он был также вынужден вечерами выгуливать петуха, оставляя окна открытыми, чтобы проветрить жилье, и вскоре сам стал знаменит в окрестностях: к нему подходили люди с просьбой сфоткаться, родители подводили к нему детей и спрашивали, как зовут петуха, сколько ему лет и что он любит есть. И просили, чтобы он покукарекал, чтобы снять это редкое явление на телефон.

Сам Гусь мылся и утром, и на ночь, но на работе сослуживцы стали его избегать, женщины жаловались на спертый воздух, начальство два раза вызывало Гуся на беседу, и он все откровенно рассказывал, всегда одно и то же, что женили его на петухе и он сам не знает что делать. Но про последний сеанс и старушку с керосиновой лампой во рту он ничего не выдал, потому что кинотеатры в городе работали.

Люди могли подумать, что он сошел с ума.

И он действительно как-то изменился: дома ел с полу зернышки и крошки хлеба, а на прогулку ходил с петухом и лопаточкой выкапывал для него червяков.

И на работе в двенадцать дня он кукарекал, ничего не мог с собой поделать.

Но его не увольняли, потому что к ним в офис часто приезжало ТВ — и именно в двенадцать дня. Чтобы зафиксировать это кукареканье. Оно собрало в Интернете уже полтора миллиона просмотров.

А руководство под это дело на стене, над рабочим местом Гуся, размещало рекламу.

Да и сотрудники во главе с начальником завели себе инстаграм и выкладывали туда ежедневно новости про Гуся с рекламой.

Так Гусь и существовал, покупал куриный корм, вечно ходил с консервной банкой, копал в земле совком насчет червяков, и это было единственное дело, в котором Петя разбирался лучше. Гусь помаленьку выучился спать сидя на корточках, отрастил на ногах для удобства длинные ногти, как у орла, чтобы копаться в земле, и уже сам в четыре утра с трудом подавлял громкий крик «Уа-уу».

Пока к нему как-то поздним вечером не пришла та самая старушка и не сказала:

— Хочется куриного супчику.

Затем она взяла петуха подмышку и ушла.

И у Гуся началась счастливая жизнь. Он не мыл полы два раза в день, отучился есть червяков и вообще перестал клевать с пола крошки.

Правда, после того старушка еще раз навестила Гуся. На этот раз она пришла с коровой и заявила, что у ее этой племянницы-коровы возникла проблема в выборе жениха, и они сразу подумали про Гуся — лучше мужа трудно найти. А петух пусть пока побудет у самой старушки, хочется куриного супчику.

— Женись на корове, а то она много ест.

Но Гусь категорически возразил, что он уезжает надолго.

— Так возьми ее с собой, она молоко дает три раза в день, в шесть утра, в двенадцать и в шесть вечера. Будешь делать творог и сметану продавать. Но ее надо пасти с шести утра до шести вечера.

— Нет, ее в поезд не пустят, — отвечал Гусь и стал вытеснять старушку и корову в дверь.

— А ты пешком, — говорила старушка, не уходя.

Тогда Гусь сам протиснулся в дверь и ушел из дома, даже уехал.

Вернулся он через несколько дней, ему сказали, что опять приезжало ТВ, под окном толпился народ с телефонами, но вскоре запах в доме стал невыносим, соседи вызвали пожарных, и те шлангами вытеснили корову на лестницу, а там уже народ погнал ее вниз вениками и швабрами.

И за коровой прилетела на дельтаплане старушка, обмотала ее веревками и увезла в облака.

Гусю пришлось ремонтировать свою квартиру.

Он выкинул в окно копну сена, вылил в санузел ведро простокваши, и, что самое трудное, долго лопатой собирал навоз на совок.

И все это снимало ТВ, и окрестные жители тоже снимали на свои телефончики.

Особенно настырно это делали девушки.

Гусь ведь стал звездой инстаграма, сфоткаться рядом с ним было важно для простых, никому не известных Алён и Анжел.

О жизни с петухом и коровой в городских условиях даже сняли целую программу на ТВ, кто за и кто против. Получился целый скандал, и, как обычно, активные зрители в зале поколотили друг друга.

А Гусь (это оказалась его фамилия, в сетях он значится как «Это Гусь, Гусь, Гусь») теперь зажил счастливой жизнью, его все знают, он ходит на работу чистенький, снимает себя на телефончик и помещает снимки в новой программе Ин-стограмм.

И он даже стал интересоваться девушками. После петуха и коровы-то, понятное дело.

Но и в планах у него завести какое-то животное опять, а то тебя быстро забудут.

Гусь думает насчет жирафа или кильки.

Легенда
о пропавшей девушке

Дафне дю Морье

Это легенда тех времен, когда еще не было самолетов и никто не мог видеть дна глубочайших ущелий, а ведь туда нисходить (что бывает трудней подъема) иногда означало, что на обратном пути придется восходить как на Джомолунгму, на Эверест — но этот подъем должен был последовать, иначе дорога оказывалась в одну сторону.

А что такое дорога без возврата?

Кстати, о ней пойдет речь в нашей легенде.

За деревней, в горах, на самой высоте, стояла высокая каменная стена, однако, скорее всего, это была вертикальная сторона большой, массивной скалы.

Простая стена в горах — вещь практически немыслимая, такая ровная, как бы обтесанная с обеих сторон.

Она там бы не продержалась после первого же землетрясения.

А история гор — это как раз история землетрясений.

Так вот, эта стена-скала начиналась там, куда глаз человеческий не мог проникнуть, на дне пропасти, и уходила в заоблачные высоты.

Но за этой стеной, говорили деревенские старухи, которые всегда живут дольше всех, стоит еще одна такая же, только пониже, и первая стена, всем известная, служит для той, второй, неизвестной, как бы изгородью.

А там, за второй стеной, есть еще одна, и вот именно под ней что-то происходит, во всяком случае, иногда оттуда, из самых глубин, доносится тройной вой ветра — так ведь бывает.

Ветер, воющий на три голоса — от низов, от гула, до верхов, почти до свиста, так высоко.

Именно на три голоса.

Но это не музыка, не хор, слишком часто это можно принять за вой ветра.

Хотя те, кто ходил туда и со скал слушал этот неземной хор, они ловили многие звуки, не только трио.

Им слышалось именно слитное женское пение.

А то, что ветер и эхо в скалах могут отражать и множить звуки, им в голову не приходило.

Они счастливы были слышать именно слитный большой хор, их это успокаивало, давало ощущение, что дети бессмертны, да, их девочки.

При том те, кто туда ходил к рассвету в поисках своих детей, они стояли над пропастью в конце тропы, каменной тропы, протоптанной многими башмаками, и отсюда слушали многоголосый вой ветра.

А тропу эту протоптали поколения ребят и девушек, выпускников сельской школы, они поднимались сюда из года в год, чтобы отпраздновать свою свободу, в ночь выпуска.

Вернее, к рассвету.

Путь их начинался после бала, и они оставляли своих учителей и родных там, внизу, в селении, на площадке у школы, и сначала шли гурьбой по улицам, сопровождаемые всеобщими аплодисментами и напутствиями — это был праздник всего села.

А вот потом во тьме, при свете факелов, они уже шли цепочкой по тропе в горном лесу, где под их ногами клубились окаменелые корни огромных деревьев, где путь был уже не таким широким и простым.

Им приходилось и спотыкаться, и хвататься за ветки кустов, но они только хохотали.

Ребята поддерживали девушек, это был обычай, хотя в горном селении нравы суровые, и, к примеру, они танцевали на своем балу не взявшись за руки, а просто подбоченившись, хотя и друг против друга.

И здесь, на лесной тропке, мальчишкам впервые было дозволено поддержать любимую девочку под локоток или приобнять ее, если она вдруг собиралась споткнуться.

Уже образовались парочки, мальчик заботился, девочка не отказывалась.

Хотя дорожка, тропинка в камнях, была натоптана — непонятно почему, кто ее проложил? Раз в год выпускной класс?

Из села никому в голову не придет таскаться в эти пустые скалы.

Чужие тут тоже не ходят.

Но никто из них, веселых, молодых, разбившихся на парочки, не обращал на это внимания.

Когда выпускной класс шел в горы на рассвете, ни один из них не задумывался, что они ведут на заклание очередную жертву.

Жертва ведь ничем не выделялась, тоже была одета в белое платье и обута в неудобные босоножки на каблуке.

Единственно что — эта девушка, как обнаруживалось потом, всегда была без пары, но на это заранее тоже никто не обращал внимания, такие в классе были.

Но уже задним числом все понимали, что горам, наверно, нужна была невинная, нетронутая девушка, которой не касалась рука мужчины.

Ведь в классе уже многие — и давно — что называется, «ходили». Мальчик и девочка. И все в селе знали, кто с кем.

Иногда такой расклад не одобрялся родителями, а как без этого.

Мало ли, сто лет назад ваш дед запахал тот кусок нашего поля за горой, якобы он заброшенный и ничей, даже засеял его ячменем, и пришлось все перепахивать и засевать своим ячменем, а возвращать ему кошелку его зерна никто и не собирался.

А тут наш и ихняя — «ходят»!

Судиться было не в обычае этих горных жителей, устраивать разборки, драться из-за кошелки семян?

Просто не здоровались.

Сторонились обидчиков в храме и на рынке.

На улице проходили не замечая.

А как будет на свадьбе? Тоже не здороваться? А крестить младенца, если он общий? Новенький, самый любимый, к тому же мальчишка?

То есть были свои семейные трудности.

Но они не касались выпускников, те об этом даже и не думали.

И выросшие дети по традиции шли встречать свой первый взрослый рассвет радостные, с надеждами на будущую жизнь.

И обязательно, вот те раз, одна из девушек исчезала.

То есть пропадала навсегда.

Родители исчезнувших девочек тоже потом ходили этой же тропой в горы, стояли на той же самой верхушке скалы, на вытоптанной многими поколениями площадке, при восходящем солнце, и кричали, выли наверх, адресуясь к каменной стене, той, самой первой, за которой (старые люди знали) шли еще две стены пониже, как бы огораживая некую пропасть, на дне которой, по легенде, и был тот монастырь, куда попадали, по одной в год, те выпускницы в своих белых платьях.

Монастырь находился в глубине пропасти, потому что где ему быть — где есть вода.

А там, на самом дне, действительно шумели ручьи.

Даже слышался сверху этот нижний грохот воды.

То есть вода у них была, и потому там стоял монастырь.

То есть там пили воду, там жили.

То есть девочки оставались живы! Мертвые-то воду не пьют, рассуждали матери и бабушки.

И дальше они рассуждали. Там темно? Значит ли это, что тот нижний монастырь стоял во тьме?

Нет. Туда явно проникало солнце, находящееся в зените, и может быть, там были свои огороды (надеялись матери), сады, хотя там же вечная жизнь, зачем им огороды...

Так матери и бабушки угнетались, кручинились, надеялись, ходили кричать на смотровую площадку, обращаясь к той первой стене, спускались как можно ниже, подбирались к ней, оставляли там угощеньице для своего ребенка.

И все-таки это было не то что ходить на кладбище, все-таки девочки исчезали живыми, хоть и тайно, их, может быть, выбирали, кто-то оттуда присматривался.

Их, может быть, выбирали как лучших. Это же понятно!

Или же девочки сами, заранее, выбирали себе этот путь, как-то готовились, думали о своем будущем, им снились, может быть, вещие сны.

Священник молчал на этот счет, чего-то он не одобрял, ревностный католик.

Исчезновение произошло и той ночью, о которой пошла речь.

Причем ни в школе, ни соседи, ни в семье — и не подозревали, что трагедия повторится, что опять исчезнет новая девочка.

То есть каждый раз это была страшная неожиданность, хотя она повторялась: в горы уходил выпускной класс — с песенками, с шутками — а когда наступало время спускаться с горы, не хватало одной девочки.

Теперь ее звали Марианна.

Она, кстати, всегда была не слишком общительной.

Теперь, когда она ушла, все говорили, что замечали ее странности — никогда не смеется, не танцует, правда, и никогда не отказывала дать списать уроки, и при этом сразу протягивала тетрадку и улыбалась.

«Как милостыню подавала, охотно», — вдруг сказал один балбес.

Вот он ужасно сокрушался, просто переменился за одно утро.

Как будто у него Марианна была любимой девушкой. Опомнился! Если бы добился, взял бы ее за руку, хотя бы той ночью, ее бы не забрали. Так говорили все девочки.

Этот класс уже понабрался опыта за одни сутки.

Горе в том, что выпускники вскорости разъедутся, а следующий за ними таковой же, так ничему и не наученный класс, поднимется в горы последней школьной ночью через год.

И все может повториться.

Теперь о родителях Марианны, о самом ужасном горе.

Они, как и семьи погибших за прошедшие шестнадцать выпускных лет, не обращали особого внимания на эту страшную традицию.

В селе принято было молчать о ней. Священник хоть и не запрещал пересудов, но и не поддерживал никогда разговоров об исчезнувших девушках.

Как будто они были самоубийцами.

Родителей Марианны, так же как и других взрослых, беспокоило то, что в селе не было работы для молодежи, а отпускать в город — даже на учебу, если бы нашлись такие деньги — тихую беззащитную девочку было страшно.

Марианна с самого детства была боязливой и застенчивой. Боялась школы. Боялась за маму с папой, когда провожала их, всегда крестила вслед. В церковь ходила только с ними. И заранее отказывалась уезжать из дому в большой город. Хотя с родителями не спорила.

Отец однажды сказал — поедешь к моей сестре, она тебя пристроит, хоть в больницу полы мыть, тут тебе места нет, все занято. А кормить тебя до твоей старости я не буду, мне младших надо поднимать.

Он, кстати, вроде бы и не был отцом Марианны.

В селе все об этом знали: парень женился на беременной девушке, прикрыл ее грех. Марианна родилась якобы семимесячной, хотя все у нее было на месте, а маленькая родилась — так она и росла маленькой.

В селе о том говорили, хоть и не открыто.

И девочки в классе, наученные матерями, не водились с Марианной.

Она была как бы грешная. Хотя более чистого существа и представить себе было трудно — всегда тихая, прямо в глаза не смотрит, отводит взгляд, тайно крестится по каким-то своим причинам.

Мамаша, ее звали Анна, ее просто боготворила, провожала в школу, как ни одна мать, даже в старших классах, и встречала после уроков, вела домой.

«Делать ей нечего, — говорили другие матери. — Тех двоих пусть ростит».

А встречать Марианну мама всегда приходила с младшими, и они радовались и скакали вокруг сестры, и она им тоже радовалась, улыбалась, и видно было, что у нее ямочки на щеках и огромные лучистые прямо-таки очи.

«Очень она его любила, — говорила одна сведущая старушка, — а он погиб».

Такая была версия о приезжем враче, которого прислали к ним в больницу, а он через год пропал в горах, говорят, пожертвовал собой ради мальчишки, который шлялся по скалам.

Полез его спасать в пропасть, да их накрыла лавина.

Но он парнишку все-таки вытолкнул, того нашли наверху.

Правда, он потерял речь и вскоре был отправлен во вспомогательный интернат.

А вот Анна, медсестра при докторе и, по слухам, его девушка, осталась одна.

Но не одна, ситуацией воспользовался парень, который ее любил еще задолго до врача. Буквально с первого класса он от Анны не отходил.

И произошло то, чего хотели ее отец с матерью, — она все-таки вышла за него замуж. Внезапно, через месяц после того как врач пропал.

И через семь месяцев родила.

Правда, старухи толковали, что доктор не в горах пропал, а просто уехал, сбежал, потому что Анна была беременна.

Все было неприлично в этом скором браке, и потом тоже — неприлично было, как Анна оберегала свою эту дочь — от ветерка, от солнца, от дождя.

Младшими занималась бабка, мать родителя мальчишек, они росли себе и росли, тоже учились, тоже ели-пили, спали, гуляли, получали подарки, но Марианна поднималась под рукой матери. В ее тени.

И ни к кому не ходила в гости из одноклассниц и соседок своего возраста, ни на день рождения, ни просто так, да и подружек не завела.

И уж конечно, мать не пускала ее одну никуда.

Девочку и в магазин не посылали.

Всю свою короткую шестнадцатилетнюю жизнь она провела около мамы.

Мало того, она была отличницей, и одноклассники и по этому поводу ее не особенно любили, посмеивались над ней.

Ее можно было спросить о чем угодно, она вежливо отвечала.

Иногда ей на переменке даже устраивали проверку, окружали в коридоре и ставили очередную задачу.

«Ну ты и академик», — смеялись они, расходясь на урок. Еще немного, и у нее бы возникло прозвище.

Однако даже и этого не случилось, потому что предстоял выпускной бал.

Ребятам некогда было и неохота отвлекаться на посторонние дела, на чужие какие-то таланты и способности.

Кому какое дело!

Но уже учителя настоятельно советовали родителям послать девушку в университет —

светлая голова, многого добьется. Уже шла молва.

И в школе у нее уже было место, учительницей начальных классов, она иногда заменяла хворую старушку-педагога.

Но всегда мать встречала ее после уроков.

И только в выпускную ночь Марианна была без нее.

Присутствие родителей запрещалось законами школы, законами выпускного бала и законом того рассвета новой жизни, который ребята должны были встречать в горах и одни.

Анна сшила дочери белое платье, строгое, закрытое до подбородка, запястий и каблуков. Одноклассницы посмеивались над этим нарядом, все же девочки были одеты как куколки, как модели или как первоклассницы, в суперкороткие платья.

Марианна стояла одна в бальном зале, она не обращала никакого внимания на эти взгляды и смешочки, она ведь уже шла на смерть, хотя, может быть, этого и не знала, и была именно в погребальном уборе.

Тяжелый узел волос утягивал всю прическу назад, к затылку, и девушка выглядела бесцветной — светлые глаза, светлая гладкая голова, ни одна прядка не выбивалась, не образовывала кудрявого ореола вокруг лица.

Она ушла с выпускного бала раньше всех, отправилась почему-то домой, может быть, попрощаться с матерью, надо было ведь идти со всеми на ту смотровую площадку.

И единственное, что мать ей велела перед уходом в горы, это распустить волосы, тот узел, который она всегда носила на затылке.

Марианна распустила их и оказалась под плащом роскошных золотых кудрей.

Так могла выглядеть какая-нибудь святая работы Леонардо да Винчи.

Ее встретили вдруг наступившим молчанием.

Теперь, после выпускного бала, Марианна шла ночью среди одноклассников под покрывалом своих золотых волос.

Она бы охотно пошла последней, но мальчики, вот в чем дело, теперь окружали ее со своими фонариками.

Даже старались поддержать ее под локоть. Хоть как-то пытались коснуться этого ангела. Освещали ей путь.

Но тропа, влившись в лес, сразу сузилась, и идти рядом означало как-то потеснить Марианну.

Никто на это не решился.

Значит, небольшое коловращение парней было впереди нее, с оглядками, с подталкиванием друг друга — и сзади. Но шли они остолбеневши, светя своими фонариками.

Так, бывает, цепенеют люди, видя в гробу прекрасную девушку.

Как бы расцветшую именно на те прощальные часы, когда она еще пребывает с людьми на земле.

Марианна не обращала на все эти перемещения никакого внимания, вела себя как обычно, хотя, как все поняли потом, она шла на смерть.

Мальчики окружали ее как смиренные пажи и сопроводили Марианну на вершину скалы.

Вскоре из-за гор выполз краешек солнца, расплавленное золото вылилось на окрестные вершины, и все закричали в восторге, протягивая руки к этому утру, первому утру своей взрослой жизни.

Все закричали. Но не Марианна.

Ее уже не было на скале, на этой маленькой площадке, где взрослые дети стояли с вытянутыми руками и вопили от радости среди ущелий, а вдали высилась та стена, та светлая каменная стена.

Мать Марианны уже тогда бежала наверх к этому месту по тропинке, запрет закончился с восходом солнца.

Ее встретили потрясенные, обезумевшие одноклассники дочери, которые уже услышали предварительный вой этой матери снизу, с тропинки: «Мариа-аанна!».

Она не перестала кричать и поднявшись, все увидев и уже зная, что не докричится.

Анна потом как ума лишилась: блуждала в скалах день и ночь с огромной сумой, где были вещи ее пропавшей девочки.

Ночи в горах холодные, и Анна собрала ей что потеплее на первое время.

Она прочесывала все окрестности, забиралась на самые опасные утесы, долго стояла там крича и оглядывая пустые вершины.

Она знала тут многие дорожки, она родилась тут.

Но однажды, на закате, она пошла по совсем незаметной, еле различимой в камнях козьей тропе — что-то было процарапано очень острыми копытцами, и не часто.

Как будто козел скакал большими прыжками, а так они скачут, спасая свою жизнь. И как будто это был единственный раз, больше никто тут не пробегал ни туда, ни назад.

Анна к утру, карабкаясь по этому следу, добралась до обрывистой стены, которой заканчивался путь того козлика.

Дальше следочков не было.

Последний был высечен прямо под скалой.

Там, покричав что есть силы «Марианна, ты где? Я здесь! Марианна, девочка моя! Ты где? Я тебя люблю!», Анна оставила под этой отвесной стеной большую котомку с вещами дочери. И побрела вниз.

Через несколько часов она остановилась, пошел тяжелый, ледяной дождь, тучи полностью загромоздили все вершины, повисли низко, стемнело белым днем, внезапно посыпался снег, и Анна вдруг поплелась обратно, наверх.

Хуже погоды быть не могло. Анна постепенно обрастала ледяной коркой.

И она подумала, что вещи дочки тоже промокнут и обледенеют, как же маленькая заберет их в таком виде.

А других вещей девочки в доме уже не было. Анна собрала все, что нашлось.

Анна собиралась накрыть сумку собой и переждать этот дождь.

К вечеру, когда уже стемнело, она добралась до конца козьей тропы.

Большой, даже огромной, тяжелой сумки там не было.

А никакие люди не проходили мимо по этой сомнительной, незаметной дорожке в тесных скалах. Невесть куда ведущей.

И ни один орел бы не поднял эту поклажу в лапах. Да орлы и не летают в такую погоду.

Анна же была горянкой и с детства таскала кувшины с водой, такие же, как ее мать. Поэтому сумку она набила сверх меры.

В такую погоду и козы сидят внизу, в рощах.

Тем более что столкнуть котомку в пропасть они бы не смогли, тропа заканчивалась маленькой площадкой с углублением, как бы выбитым в скале. Туда Анна и затолкала свою ношу.

Анна поклонилась, перекрестилась на эту, уже пустую, нишу, закричала:

— Спасибо, девочка моя! Скоро я тебе напеку пирожков, принесу! Я тебя люблю!

Ответом было эхо:

— Люблю-у-у!

И что-то зазвенело, посыпались равномерные удары в горах, как если бы пошел обвал. Но немного не так.

Домой Анна вернулась другим человеком.

Она начала спать, улыбалась своим мальчишкам, гуляла с ними в горах, по одному и тому же маршруту. Как будто их приучала.

Соседки диву давались, куда делась сумасшедшая, оборванная, лохматая Анна, горная странница.

Передавали друг другу, крутя у виска: «Она сказала: вещи дочь взяла. Чтобы я не пропала там. Она у отца. Колокольный звон».

Да, в селении существовала старая легенда, что там, в скалах, в недоступном для человека ущелье, стоит девичий монастырь. Потому что люди слышали, что иногда доносится невесть откуда бой колоколов.

И этот тройной голос далекого ветра, хор, прекрасней которого нет на свете.

ПОВЕСТИ

Санаториум

Тени двух бедняг, двух возлюбленных, так и остались витать над столовой санаториума, где все их наблюдали, двух конспираторов, и из них один как ни в чем не бывало останавливался у стола другого (другой), где эта виновница происходящего сидела горемычная, с пятнами на щеках, и глядела мимо него, — но все окружающие уже знали, что его отсылают в филиал этого санаториума, в дальний угол, в место новое, еще полностью не освоенное и мало кому известное, — а ее пребывание находится под вопросом, она тоже, видимо, улизнет вслед за ним, француженка мадам де Стаэль (это простое совпадение, она с известной м-м де Стаэль даже не родня, это вообще фамилия по мужу, но и он той старинной знаменитости не родственник, а обычный банкир, оставивший жене состояние. Без миллионов в этом санаториуме делать нечего, добавим).

Да, санаториум самый, можно сказать, дорогой, очень дорогой, у каждого клиента такие удобства, какие и не снились жильцам даже в самых знаменитых отелях, и на том точка.

Виллы тут трехэтажные, и все санитарные объекты отлиты из чистого серебра, а под зеркалами (венецианское стекло) выставлены разнообразные духи, кремы и косметика, и к вечеру приходит визажист и стилист, поскольку ужин предполагает каждый раз полный парад-алле. В санаториуме также работает свое ателье, где шьют все по лекалам от кутюр.

Но самое главное тут не удобства, самое главное — это подпольное (под вопросом и, скорее, легендарное) существование бригады геронтологов, хирургов и эндокринологов, и, собственно, на этот свет и слетаются пациенты со всего мира. По сведениям, бригада приезжает на определенные сроки, берут не всех. Результаты омолаживания не разглашаются. Говорят, что бригада состоит из получивших образование монахов аскетического поведения, прошедших выучку у тех, кто провожал святых на вечное сохранение в курганы. Ведь не они сами обеспечивали себе на сотни лет вперед полную сохранность всех клеток, это дело давно практикуется. И правительство смотрит на данные эксперименты косо, надо сказать, другим не рекомендует и само им не воспользовалось (по слухам, пациентам угрожает потеря личности в результате полной очистки памяти).

Хотя сохранить клетки на столетия — это одно, а сохранить мыслительные способности, разум и то, что называется душой, — тут уже вопрос вопросов.

Причем в санаториуме по-простому, с открытой демонстрацией достижений соблюдены все правила экологии — тут сберегают дождевую воду и отстаивается вода использованная, тут применяется труд местных жителей, а крестьянских детей воспитывают еще с начальной школы, отбирая самых красивых и смышленых. Все это было обещано правительству края, и поэтому санаториуму выделили роскошный кусок земли, с дивными лесами и средней величины потоком, разбивающимся около устья на водопады, озерца и ручьи, — и был создан парк на побережье, где иногда затевают ужины и концерты, а дальше, разумеется, гремит море-океан. За оградой парка наличествуют священные деревья, редкие птицы, стайки белоснежных обезьян с черными личиками, а также одинокие, почему-то маленькие, леопарды и медведи, тоже мини.

И здесь такое ночное небо, что душа замирает.

Наблюдать его из внутренних садов (а в каждой вилле свой сад под открытым небом), видеть эти бриллиантовые созвездия, эти сияющие крупные драгоценности — вообще отдельное счастье для горожан, отмечают все.

Там она, мадам де Стаэль, из-за его плеча, обезумевшая, смотрела вверх, когда они располагались в саду, на ее широкой постели (ложе под стеклянным куполом и с тонким сетчатым балдахином, разумеется).

Каждую ночь парень линял из общежития к м-м де Стаэль и возвращался строго во тьме, до рассвета — таковы были условия конспирации в этом санаториуме. Всё под покровом ночи!

Ему оставалось переменить одежду (у мадам они вместе плавали в подогретой ароматической воде бассейна, так что душ можно было и не принимать, да и нельзя шуметь ночью в общаге), и он кое-какое время спал — вот такие ночи у него получались!

Он исхудал, она — не очень, она осталась как была: оплывшая фигура, обвисшее старое лицо и глаза на мокром месте: эта любовь ее подкосила, ей под сто лет в обед, но что поделать с этой страстью, нет, с любовью!

Ибо страсти как раз, врачи подозревали, она не испытывала, просто только в постели она могла утолить жажду объятий — а эта жажда существует и помимо эротики (у матерей и детей).

С ним проводились беседы, он работал по указаниям докторов, но сладить с собой, видимо, не мог, судя по утомленности мадам. Два-три раза за ночь он эксплуатировал ее в своих интересах, нимало не заботясь о ней самой.

Она все выдерживала, как раз она-то о нем думала, старалась как-то способствовать ему, хотя иногда в целях самосохранения удовлетворяла его устно.

Ее банкир (она простодушно все рассказала трем тутошним феям-пациенткам, о них речь впереди) в старые времена тоже предпочитал такую форму супружества: взяв ее молоденькой девушкой, всему обучил, что знал от продажных тварей. И ни детей, ни секса в ее жизни не было. Только кровавая первая брачная ночь, банкир в виде каприза возжелал вкусить ее девственности, чтобы потом хвастать перед коллегами. Но он так долго не мог — пожилой уже мужчина — закончить со всем этим, что у мадам де Стаэль образовался стойкий невроз по поводу сексуальных отношений.

Собственно, нерожавшая мадам в своем возрасте и теперь была физиологически девственницей, что поразило ее молодого любовника, который параллельно имел связь с сорокалетней пожилой уборщицей санаториума, женщиной, готовой к соитию в любой момент и в любом месте, в нее войти было легко (как по маслу).

Так что, можно считать, эта любовь была у них явно односторонняя, все подруги м-м де Стаэль данное обстоятельство заметили, а подруги были вострые, наблюдательные. Измученная, готовая к слезам она и подтянутый как струнка, худой, головастый, маленький он. Фернандес, изволите видеть. Тоже немолод, ему под тридцать. Возможно, ему и в голову бы не пришло взваливать на себя эту сексуальную функцию, он бы постеснялся, но санаторий тем и славен был, что здесь шли навстречу буквально всем капризам и потребностям отдыхающих, даже непроизнесенным. И даже неосознанным.

А Фернандесу прямо было указано пойти к заболевшей м-м де Сталь и принести ей, лежащей под балдахином, еду и складной столик — а затем взбить подушки, посадить и поставить стол на ее колени.

И произошло все то, что ожидалось.

Целомудренная, неискушенная, не знавшая мужского вожделения мадам дрогнула от этой мужской руки, шарившей у нее выше колен, чтобы подправить днище столика.

Она подчинилась, когда он захлопотался с этим днищем и невольно отслонил простыню, чтобы понять, где увязли ножки столика. Она просто сползла и легла навзничь, закрыв глаза. И взяла его за руку, буквально как ребенок.

Фернандес вообще убрал столик.

И как бы теснина, бесплодная расселина в горах подверглась внедрению космического тела, землетрясению, а также извержению вулкана, так можно было бы назвать дальнейший процесс.

На другой день после происшествия она все-таки вышла к ужину, и он, Фернандес, конспиративно сновал мимо нее — прямая спинка, большая голова, — и другие приносили ей тарелки, а он шпарил по соседним маршрутам. И она не имела смелости договориться с ним насчет следующего визита, а это была уже широко известная в санаториуме проблема второго свидания. Влюбленная, ошеломленная, почти плачущая, она тяжело возвращалась на свою виллу, спотыкаясь и оглядываясь, — но Фернандес не шел следом, видимо, убирал со столов.

Три подруги мадам наблюдали за ее унижением зорко, с полным пониманием. Эти три фурии давно обходились исключительно своей компанией, своими отношениями. Ссорами, изменами, заговорами — две против одной, как обычно. Они и жили на одной вилле — для экономии. Мисс Занд, фройляйн Пруст и леди Кристи (чистое совпадение, игра случая или шутка главного врача, отбирающего пациентов. Голландец, он скучал тут).

Ночь прошла у них в скандалах в спальне лидера, мисс Занд, и закончилась униженным ползанием на коленях, угрозами самоубийства и так далее, но утром они все три вышли в обычном виде, белая как лунь мисс Занд в розовом платьице, фройляйн Пруст с распущенными седыми кудрями до лопаток и в романтическом длинном платье, а леди Кристи в очках и улыбающаяся во весь рот.

Странное это было трио, достопримечательность санаториума.

Мисс Занд носила стрижку «Алькатрац», то есть была брита почти под ноль, но месяц тому, так что на ее голове с выдающимся носом уже взошла ровная, алюминиевого цвета щетина, как у какого-нибудь генерала. Розовое мини, пышное вроде абажура, заканчивалось как-то неприлично высоко, много выше ее массивных колен. Фройляйн Пруст, маленькая и полная, носила кудри ниже плеч, в память о юных годах. Это облачко седых волос лежало на ее выпуклой спине как синтетическая мочалка для оттирания кастрюль. А вот леди Кристи была худая, даже тощая, особа с жилистой шеей, на которой красовалась маленькая голова с вечно улыбающейся пастью. Эта улыбка разверзала ее череп почти до шейных позвонков, то есть леди ходила зубами настежь, рот до ушей. Проще говоря, головка ее была поделена почти пополам: купол с носом и глазами, затем пустое пространство, окаймленное сверху и снизу крупными от природы, своими собственными, пожелтевшими крепкими и большими зубами, и затем уже шел маленький скошенный подбородок и жилистая, крепкая, как щиколотка спортсмена, шея. Самое первое, что приходило в голову человеку при взгляде на леди Кристи, — это сравнение со школьным скелетом, у которого нижняя челюсть давно и самостоятельно покачивается.

Вышеупомянутая троица вечно делилась, как амеба: то крепкая пожилая девчонка мисс Занд сидела за обедом в сопровождении романтичной старушки фройляйн Пруст, а отвергнутая леди Кристи улыбалась вдали, как изнемогающая от жары собачка. То, наоборот, леди Кристи активно хохотала с мисс Занд, а несчастная фройляйн Пруст сидела, как тюк, за отдельным столом...

А вот м-м де Стаэль выползла к ланчу бледная, изможденная, кое-как одетая в майку и шорты, причем уже после приема в клиническом корпусе, и массаж не дал ей желанного успокоения, и врач напрямую спросил ее, «как вы себя теперь чувствуете», именно со словом «теперь».

Она была близка к слезам и вымолвила, чтобы еду ей принесли на виллу. Что сегодня она плохо себя чувствует после процедур.

— Ну тогда вам Стелла принесет, я распоряжусь, — провокационно произнес врач, поскольку требовался четкий контроль в завершение эксперимента. А потом он как бы засомневался и, глядя на вконец расстроенную пациентку, полуспросил-полувымолвил: — Маурицио?

— О нет, — еле выговорила мадам де Стаэль, — не надо.

Экзекутор продолжал:

— Может, Фула?

Мадам замотала головой.

— А кто?

Она прошелестела заветное имя.

— Но он же не справился со столиком...

Откуда им это было известно? Мадам де Стаэль сидела потрясенная.

— ...Он нам сам должен давать отчет.

— Нет, справился, справился.

— Фернандес у нас вообще-то скоро уходит,
мы его переводим в филиал. Он там будет работать с новым персоналом, будет обучать их, он
опытный, а в нашей системе самое важное —
это ротация.

— Он уходит сегодня?

— Нет, где-то через неделю.

— Сегодня пусть приходит, и все вечера, —
проскрежетала униженная мадам де Стаэль. Раз
все известно, то пусть. — Я буду платить.

— Что вы, это входит в обычную сумму,
ужин в постель, уборка.

И буквально через день все смешки, все наце-
ленные взгляды, все разговоры исчезли при виде
этого отчаяния, откровенного, неприличного
отчаяния мадам де Стаэль. Свидетели понимали — тут не страсть, не секс, не вожделение,

а самая примитивная любовь перед разлукой, любовь сироты, взятой из детского дома, которую привезли, одарили, приласкали, оставили ночевать, а наутро сказали: все, мы вечером везем тебя обратно, у нас была благотворительная акция, в следующий уик-энд приедет уже кто-то другой из вашего детского дома. Ты же понимаешь, ты умная. Ротация!

Фернандес спустя неделю и вправду исчез — но и она пропала из санаториума.

Видимо (думали заинтересованные те трое), узнав у Фернандеса адрес, она где-то там сняла номер в захолустном отеле, чтобы быть рядом с ним, но тут уже было широко известно, что найти искомое невозможно, не первый год мы в этих местах отдыхаем. Здешняя любовь удаляется сразу, суровые условия изгнания таковы, что дурная слава уменьшает зарплату и там, в ссылке. По негласному уставу, вызывать любовь стаффу запрещено. Она может случиться в виде физического отправления, не более того. Но в таком варианте все должно быть укрыто знаменитыми девятью покрывалами. А явное должно искореняться.

О физических отправлениях: в санаториумах по всему миру существует давний, вековой обычай типа права первой ночи — и всех последующих — на время срока. То же, что у европейских властителей и деятелей искусств по поместьям. Дюма-отец, русский граф Толстой с их случайными детьми. Но не любовь! Ее не скроешь ни под какими покрывалами.

Этот-то, описываемый нами, санаториум притягивал к себе тех, кто прибывал сюда быстро вернуть утраченную молодость, рассчитывая на умелые руки юных дев, массажи рук-ногушей, не говоря обо всем прочем, с финальными перьевыми прикосновениями, а также на странные (вонючие и черные) ванны после обмазываний специальной глиной, далее в распоряжении имелось что: ароматический душ, океан и бассейн с морской водой, несколько вариантов йоги и шестидневное голодание на рисовом отваре с полным — и магическим, без вмешательства, — опорожнением организма, кроме того, легкий, гигиенически оправданный, с маслами загар, ну и чистый, проверенный стафф. Который был обучен новейшим технологиям и мог находить деликатные тактильные пути как к выяснению потребностей клиентов, так и к преодолению свойственных тем первоначальных табу. Кто не понимал и ежился-корежился, ничего не обретал в конце концов. По спросу и предложение.

Массажистки здесь себя уважали, они были обучены и бабками-матерями, и тренерами, и они не относили себя к жрицам любви — какая любовь? Технические приемы для устранения возникших сложностей. Медицинские способы решения проблем клиентов, определенные точки по организму — все.

Так что все предлагаемое в качестве дополнительных бонусов заказывали только многолетние посвященные, ведь тантрические практики, тайные техники по индивидуальному плану не афишировались тут, они, как правило, получали неожиданное воплощение в конце срока. Новое в массаже персонально для вас, так сказать. Когда уже и вилла предназначена следующим постояльцам, и санаторием заполнен. У клиента должна была остаться жажда возвращения! Врачи пасли здесь миллионные состояния, и пасли их не только психологически выверенно, но и весьма тактично. Никаких приманок. Только собственное решение! Три грации недаром ездили сюда каждый сезон. Что же, привлечение долголетней клиентуры — цель каждого оздоровительного центра, не правда ли?

Но и случай мадам де Стаэль не был вопиющей неожиданностью для врачей: имелось свое средство, ротация!

Мадам де Стаэль, бедная богачка, что она могла предложить своему любимому — жениться на ней и жить в ее замке на Луаре, играя роль живого вибратора? И в результате ждать ее окончательного ухода, и чего хорошего, а ну как слетятся двоюродные наследники. А просить ее о внесении в завещание, о брачном контракте — на это бедный слуга и не решился бы, она понимала.

Что же касается политики руководства, то такие случаи в санаториуме бывали и для стаффа ни к чему хорошему не приводили — следовала ротация на дальний объект типа концлагеря, вот что. Каторжный труд, стройка нового филиала, тесать красный известняк на кирпич по пять центов штука, без права на свидания. Раз в день миска нута. Пять лет. А не уводи клиентуру, баста.

Но даже при самом лучшем обороте событий, если бы она схватила в охапку любимого и увезла к себе во Францию — без языка, что его там ожидало? Враждебные местные слуги, ноябрьская тьма и зимние холода, чужая вода и еда, страшные гости, обычаи, которых никогда не поймешь. Или своими способами убьют наследники (Фернандес ведь должен был прочесть всю Агату Кристи, ее книги в замурзанном виде стояли на полках в санаторской библиотеке, стафф их изучал, передавая друг другу, причем по наводке главврача).

Мадам де Стаэль и сама себе все это твердила, перебирая варианты. Здесь в стране не поселишься, у них только полугодовая виза. Да и племянники на родине имелись, мужнина родня с широко раскрытыми пастями. И завещание лежало у адвокатов. И она думала о том, как они отреагируют на появление нового наследника. И тогда каков может быть финал — психиатрическая клиника, яд или накроют подушкой.

Человеку ведь свойственно воспроизводить мысли других со всеми их аргументами, то есть что скажет и сделает этот, а что ответит тот. Жизненный путь весь расцвечен такими воображаемыми сценами, каждый сам себе драматург.

Кстати, мадам де Стаэль как раз относилась к тому разряду клиентуры, который был равнодушен ко всем тантрическим новинкам. Но и ее необходимо было удержать: ведь сразу после побега мадам были получены новые сведения, что она владеет миллиардным состоянием! Она оказалась в негласном списке «Форбса», в пока что будущем списке: на ее участках в африканском Лесото были найдены алмазные месторождения с неисчислимым годовым доходом, результат провидческого завещания старика-банкира де Стаэля, который и после смерти держал штат геологов в Африке, поверив одному безумцу (а тот, в свою очередь, завидовал своему однокурснику, открывшему новые изумрудные копи в Шри-Ланке. Ревность — мотор всех первооткрывателей, да и миллионеров тоже).

Так что история с Фернандесом, будем предполагать, произошла хоть и вне плана, но требовала разработки. Счастливый случай — только начало серьезной игры. Фернандес ведь не вы-

полнял никаких указаний и вообще ничего не
имел в виду, заботясь о мадам, это она восприняла его неловкое поведение как страстный и пред-
намеренный любовный ход и ответила, доверчи-
во взяв за руку слугу.

Однако же дело было сделано, главный шеф
в Амстердаме не менял своих решений, Фернандес исчез.

Но после того, как известно, исчезла и мадам
де Стаэль. Мало того, срок мадам закончился
через десять дней, и на ее пустую виллу заехали
другие.

Тем не менее разведка работала и донесла,
что мадам плачет в своей дыре в дальнем город-
ке, подкупает местных, чтобы ее проводили в тот
филиал, на стройку, а связи с Фернандесом нет,
телефон у него изъят. А там, в джунглях, легко
напороться на ограду в виде проводов под вы-
соким напряжением. Местные это знают и водят мадам кругами в безопасных окрестностях,
и она инстинктивно начала одна блуждать по
побережью, даже отсылая сопровождающих,
чтобы самой найти в джунглях ход наверх.

Короче, через одного коридорного в той дыре, где жила мадам, удалось сообщить ей, что
Фернандеса переводят обратно.

И она, похудевшая и почерневшая, явилась
в санаториум. На ресепшене ее встретили ласково, сказали: ой, мадам, вы, а вилл свободных нет.

Она сидела, ей принесли специального успокоительного чаю. Наконец пришла администратор и сообщила, что вилла будет через десять дней. А пока можно пожить в доме у одного водителя, он с семьей обитает в черте санаториума, ниже по дороге.

Утром ее провели к главному врачу.

Состоялась трогательная беседа, мадам плакала.

Когда ее спросили, чего она добивается-то, мадам де Стаэль ожидаемо ответила, вся в слезах: «Хочу помолодеть».

— На сколько? — последовал вопрос.

— На сорок... на сорок пять лет.

Главный кивнул, соображая.

Потом сказал:

— Это займет много времени. И средств. Команда приезжает со всем оборудованием, им мы тогда отдадим новый двухэтажный дом. Первый этаж уже готовят.

— У меня есть деньги, — отвечала мадам де Стаэль. — Зачем мне они? На пятьдесят лет — можно? На шестьдесят? И верните Фернандеса в столовую.

— Но вас заберут на все процедуры отсюда.

— Скоро?

— Это зависит от того, как пойдет наладка оборудования. Там и крыши пока что нет. Предупреждаю: у нас еще не полностью одобрен и апробирован этот новый проект. По заказу одного умирающего. Двух, вернее. Их держат в саркофагах с искусственным дыханием. Денег пока не хватает.

— Я буду сама это финансировать.

— Но мы не гарантируем вам любви, вот что.

— Этого никто не может гарантировать и в молодости, — сказала печальная де Сталь, — я сама знаю.

Так и пошло. Тройка постоянных клиенток, дамы Занд, Кристи и Пруст, приняла несчастную бездомную в свои объятия — видимо, они уже были в курсе насчет алмазов, Интернет-то работает. С ней ходили плавать в океан, ей советовали лучших массажисток, ее постепенно начали вводить в курс дела насчет практик левой руки, но она вела себя строго, садилась в ресторане спиной ко всем, спокойно могла разговаривать с Фернандесом по поводу меню, беседовала и с новой соседкой по столу. Ночевала в доме у водителя. На ресепшене каждый день подписывала счета.

Стройка шла в горах, была скрыта джунглями, и долгая прогулка наверх всей четверки по грейдерной дороге привела компанию к высокому забору из кораллового цвета кирпичей. Железные ворота преградили путь. С участка слышались стуки и какие-то руководящие восклицания типа «давай-давай» и, судя по дальнейшим визгливым интонациям, «не туда, дурак». Дамы из окружения мадам де Стаэль предположили, что это из экологических соображений, все только руками и ногами, без техники, без треска моторов и вони. Спортивная мисс Занд, используя подруг как стремянку, взгромоздилась на какое-то коренастое дерево с развилкой, постояла там и вернулась со словами: «Двухэтажный дом, вяжут вручную крышу из пальмовых листьев. Здесь только так, да, экология».

Мадам де Стаэль теперь вела себя точно как замужняя женщина, беременная от любимого человека, — была уверена в себе, принимала мужнину заботу без излишней благодарности, прислушивалась (внимание!) к своему брюху, ела осторожно и перешла к тренеру по йоге для столетних, его специально привезли. Не было никаких явных физических контактов с любимым, даже рукопожатий на людях. Он — явно — стал меньше ее интересовать, это подружки заметили.

И все прежние здравые советы искушенной дамской тройки — «нельзя так привязываться к объекту любви, только отпугнете» и «не плачьте, будет еще хуже» — все это уже было ни к чему. Перед ними возвышалась статуя типа девы с факелом, омываемая океанскими волнами денег, ограниченная в передвижениях и с огромным будущим.

Ее уже начали готовить.

Она ходила на уколы, пила какие-то отвары.

Мисс Занд как самая дошлая принялась все-таки повторять одно правило, ориентируясь на свою одинокую молодость: «Не бегайте за ним никогда, даже в новом возрасте. Мужчины этого не любят. Вот как я в двадцать лет влюбилась... Эх».

Мадам де Стаэль молчала. Она не садилась с ними за один стол, не лежала с книгой в их обществе у бассейна под сенью пальм и не слышала ядовитого щебета фройляйн Пруст, веских замечаний Занд и сдавленного хохота леди Кристи. И за ужином она молча воспринимала все доводы своих новых подруг, почти не отвечая, — такой невозмутимо слушающий телефон доверия, которому можно рассказать буквально все и который не возразит. И это еще больше раззадоривало их. Именно таковые, заметим, молчальники вызывают у людей приступы откровенности. Притом — что интересно — дамы облекали свои воспоминания в щадящую форму, давая объектам любви мужские имена. Если бы мадам де Стаэль читала «В поисках утраченного времени», она бы поняла эту игру в Альберт-Альбертина.

Но ей было все равно. Она ждала. Она уже, пока что пребывая в старческом виде, отделилась от этих бабок, безобразных, как фриковатые героини каких-нибудь смешных мультфильмов. Она была такова же, как они, но не пыталась себя, что называется, подавать — ходила в обширной майке и таких же длинных и просторных шортах.

Фройляйн Пруст, имевшая по поводу всего свои романтические воззрения и воображавшая себя вечно юной со своим облачком кудрей, даже выступила на тему красоты, пользуясь временным расположением мадам де Стаэль. Она тоненьким, юным голосом сообщила, что именно ваше, пардон, физическое безобразие, нежелание что-либо предпринимать и есть знамение старости. Зимнее узловатое, в таком же периоде, как вы, корявое древо, не защищенное листьями, цветами и плодами, — вы понимаете? — безобразно тоже. Единственное, что может защитить честь и достоинство пожилой женщины, — это прикрытие для головы (королева Элизабет) или парик для тех, у кого не сохранилось хороших волос (Пруст при этом взбила прическу, раздернув на ходу спутавшиеся нити у себя на загорбке, и мельком посмотрела на головы подруг). Затем — она сказала — нужна длинная юбка и рукава ниже запястий. Аристократки в старину, те надевали на руки перчатки (опять-таки Элизабет как образчик), а для шеи придумали высокий ворот, закрывающий то, что не предназначено к обозрению, вы меня поняли — у Элизабет, кстати, всегда была императорская голая шея, что никому не интересно. Но в нынешние времена все свободны в своих волеизъявлениях, и никто вам не скажет правды, кроме близких, никто уже не имеет права осуждать ничей внешний вид — ни богатого инвалида по разуму, ни актрисы-старухи, ни какой-нибудь бесноватой княгини... И специально не замечают катастрофических последствий пластических операций, которые нет-нет да и проявляются (тут Пруст возвысила голос) на новых лицах провалами вокруг носа, утолщениями на губах, удлинениями подбородка с целью натянуть обвисшую кожу (лицо по седьмую пуговицу) и неожиданными сборками на шее, как у скрывающих свой истинный вид инопланетян. (Фройляйн Пруст, кстати, сама себя при этом цитировала. Она вела колонку в местной газете где-то под Мюнхеном, на краю света.)

Что же касается мадам де Стаэль, то она исчезла именно тогда, когда освободилась ее вилла. То ли заперлась в своем помещении, а то ли вообще уже поселилась там, наверху, в загробном доме, где должна была умереть (потеря личности и внешности же, как в земле!) и заново родиться.

Три дамы обменивались напряженными домыслами. Ведь здесь вершилась (частично) и их судьба. Ну вот как, как они там решают эту проблему снятия возраста до определенного момента? И не получится ли из мадам де Стаэль новорожденной миллиардерши? И не подменят ли ее какой-нибудь выписанной из Франции молодой внучатой племяшкой с целью провести пластическую операцию по портрету мадам в молодости (ДНК-то совпадет!)... И с целью замены дактилоскопии на концах пальцев (банк мадам де Стаэль взял у нее отпечатки на всякий случай, услышав про операцию и оплачивая счета санаториума — прилетали три француза).

Эти вопросы недаром угнетали тройку тезок великих писателей. Дамы ведь тоже считали свои миллионы. На их глазах происходил эксперимент. Ожидался, по непроверенным данным, приезд ученых с программой безоперационного вмешательства. Работа в гормональной сфере и с ДНК.

Когда мадам де Стаэль исчезла, исчез и Фернандес. По словам врачей, его отправили обучать вновь принятых деревенских подростков в дальнем филиале. Каторжные работы.

— Ибо, — главврач улыбался, — только с этим условием нам разрешено функционировать тут.

Мадам де Стаэль, однако, вернулась через неделю.

Сказала, что это у нее был всего-навсего ретрит. То есть уход в молчание плюс голод.

Теперь она стала оживленней, посмеивалась над громовыми шуточками мисс Занд.

Но главное, что с ней произошло, — она явилась из своей виллы на завтрак розовая и свежая, как будто выспалась за всю жизнь. Она потеряла десяток килограммов, это было ясно видно.

И хотя ее туловище все еще оставалось оплывшим, лицо претерпело гигантскую метаморфозу. Никаких отеков и синяков под глазами. Ровная шея. Никаких обвислых щек. Ей можно было дать полтинник! Что есть цветущий для женщины возраст! Правда, бабье заметило, что она немного странно себя ведет. Оглядывается, облизывается, чавкает, полезла пальцем в ноздрю. Горбится! Никаких следов воспитания! Все, над чем работают в цивилизованных странах с детьми раннего возраста, пропало. Она чешет голову, под мышками и (иногда) спину. Достает рукой до лопатки. Возит ногами, как будто все время пытается устроиться поудобней. То есть беспокойна, не так, как раньше была, — статуя Свободы.

Покончив с десертом, бабы присели к ней за столик. Она удивилась, вытаращилась, скорчила рожу, отклячив подбородок. Они стали ее спрашивать:

— Как вы себя чувствуете? Что у вас?

Она ответила, обратившись к леди Кристи:

— Бабуль, сколько время?

Та, пораженная, бестолково улыбаясь, полезла за телефоном.

Мадам де Стаэль протянула руку (никаких жилок) и схватила телефон, стала рассматривать.

— О, «Нокия». У меня тоже такой был. Старье. Я уронила в это... в унитаз из кармана джинсов, когда встала. У меня много их. Ну ладно, бабушки, пока.

И она забросила телефон подальше.

Леди, теряя челюсти, кинулась подбирать разбросанные детали.

Занд ласково спросила:

— О, мадам де Стаэль, а сколько вам лет?

— Шестнадцать уже, — отвечала та, вставая.

— Вы сошли с ума! Семьдесят восемь вам, — воскликнула, мило тряся головой, фройляйн Пруст.

— Мне восемь, — наморщив нос, сказала мадам де Стаэль. — Или шесть, не помню. А ты кто?

Подруги сидели оцепенев.

— Старая жопа, — заключила мадам де Стаэль.

— Ты отдала им все свои деньги? — спросила мисс Занд.

— Хрен им, а не деньги, — отвечала эта малолетка, заключенная в довольно немолодое и толстое тело. — Я им дала такую... это... просто карточку. Они стали спрашивать это... ну... код, а я не знаю.

— Ты одну карточку им отдала?

— Они спросили, это... а где остальные.

Каждый раз она останавливалась, как будто забывая слова.

— А ты?

— Мне жалко, что ли.

Старухи переглянулись.

— А у тебя тут за сколько заплачено?

— А я знаю? За год, кажется. Я не хочу тут. Задолбало. Ребят никаких тут нету. Скукота.

— А Фернандес?

— А где он? Я его люблю! Я не могу, просто не могу! (Она заплакала.) Где он? Фернандес, Фернандес!

— Это надо у главного врача спрашивать.

— Я та-ак люблю его... Соскучилась прям. Фернандес... Я его найду тут, это... как там... он в лесу. Его это... прячут.

— Ты одна по лесам не ходи. Там леопарды.

— Прям.

Она действительно теперь говорила как шестилетний — и довольно дикий — ребенок.

— Ты спала с Фернандесом? — спросила мисс Занд голосом врача.

— Я спала с Фернандесом.

— Ну и как тебе было? (Они переглянулись.)

— Было это... очень тяжело, он на меня лег, и было — как это — оч больно. Но я, это... плакала, не плакала.

Старухи, кивая как завороженные, смотрели

на мадам де Стаэль — ее лицо и тон все время менялись. Вдруг она сказала, совершенно осознанно, как будто перейдя на другой язык:

— Я понимаю, о чем вы. Но мои банкиры еще давно мне сказали, что заблокируют эти карточки при первой же попытке взять деньги без кода. А код мне не сообщили, ясно? Не считайте меня идиоткой. Мне уже четырнадцать лет.

Бабки, проверявшие в последние дни свои финансовые возможности, чтобы тоже пойти на омоложение, сидели буквально как пораженные громом. В то же время им явно хотелось побежать к главному врачу, сообщить ему о результатах.

Однако его не было, кабинет оказался закрыт.

К ужину возбуждение достигло предела, тем более что никто ничего не объяснил — и к тому же мадам де Стаэль явилась в верхний ресторан уже сорокалетней теткой, правда, такой же толстой. Она отказывалась узнавать старух, которые, наскоро проглотив что дали (микроскопические порции, Мишлен четыре звезды вегетарианский), прошли мимо нее и поздоровались. А когда они, как бы ослепленные новым зрелищем, вернулись, она встала и без слов удалилась, толстая, нелепая, с прыщавым подростковым лицом и тремя подбородками.

И больше ее в санатории не видели.

Главный врач появился через два дня, озабоченный. Прилетала на вертолете полиция. Мадам де Стаэль исчезла. Что-то произошло.

Три дамы пошли наверх, к тому объекту в джунглях. Ворота оказались не заперты, и посетительницы осторожно проникли на чужую территорию. Крышу уже настелили. Окна дома были плотно закрыты жалюзи. На газоне виднелись следы огромных колес. Вертолет?

Вернувшись, дамы посетили главного врача, и мисс Занд, лидер, задала вопрос напрямую:

— Ученые съехали? Сбежали? Что-то не получилось? Что сказала полиция?

— Да полиция вообще ищет кого-то по всему штату, это нас не касается.

— А где эти экспериментаторы?

— У нас с ними трехлетний контракт, и они работают в разных наших санаториумах.

— А где мадам де Стаэль?

— Вот они ее увезли сейчас в филиал.

— Куда?

— Это на побережье.

— Можно ее навестить?

— Она в процессе наблюдения, нет.

— Ну хорошо, а почему она не так теряет в весе?

— Послушайте, и молодые тоже бывают полными, нет? — весело ответил старший врач и встал.

— Сколько это все стоит? — спросила, осклабившись как потный бобик, леди Кристи. — Полнота меня не пугает.

— Пока что, видите, процесс продолжается.

— А до какого возраста можно рассчитывать? — спросила мисс Занд. — Где остановятся?

— Думаю, по возможностям, — загадочно ответил этот красавец.

— Вот тебе и на, — резюмировала Занд. — Доведут до возраста шести лет и сдадут как сироту в приют.

— Погодите, а почему у нее лицо такое как бы бритое? Блестит кожа? — заметила мисс Занд.

— Вы ошибаетесь.

— Да нет же! — отвечала Занд, невольно проведя ладонью по щеке. — Я разбираюсь! — сказала она веско.

(Было время, когда Занд собиралась стать мужчиной и начала принимать гормоны и бриться на пустом месте, на подбородке, вызывая рост волос, но переиграла все обратно: мужчина-лесбиянка — это что? Жениться она раздумала: измена! — а так, неизвестно зачем, потерять круг общения, ведущие позиции и клиентуру? Она была все-таки довольно известной в определенных кругах. И Занд осталась дамой, хотя и зарастала довольно густой курчавой седой бородкой, если можно было неделю отдохнуть.)

Троица не собиралась уходить. Фройляйн Пруст тоже требовала ответа. Это здесь она играла третьи роли, дома-то Пруст фигурировала не только как колумнистка, но и как наконец нашедшая себя кинорежиссер-документалистка в области софт-порно. Мисс Занд, кстати, тоже была не пришей кобыле хвост, любительски занималась остеопатией, хилерством и гомеопатией, то есть являлась опытной ведьмой. Леди Кристи же паслась в высших сферах, увлекалась благотворительностью и со временем стала профессиональной нищенкой, стучась во все спины. И научилась перед камерами ТВ своими историями исторгать слезы у зрителей (притом имея среди публики авторитет, так как ее состояние исчислялось миллионами).

* * *

Уже перед самым отъездом, месяц спустя, дамы поняли, что в округе что-то происходит. Ночами на дальних вершинах среди деревьев вспыхивали отсветы сильных фонарей, раздавались крики, как при облаве, легко узнаваемые без перевода. Днем по побережью таскалась толпа худых добровольцев с голубой капроновой сетью, намотанной на кривой стволик пальмы. И, наконец, в верхнем ресторане во время ланча появилась толстая, как тумба, немытая и нечесаная девушка в чем-то вроде сари, схватила с блюда декорированных фруктов гроздь бананов и тут же была поймана официантом. Она извивалась, кричала «отцепись, идиот, фак-фак» и «я заплатила за все, ты что, урод, новенький тут?».

Дамы немедленно вмешались, окоротили возбужденного официанта, взяли мадам де Стаэль под локотки и усадили за стол. Тут она крикнула в толпу столпившихся у входа на кухню официантов: «Ты, Петер, и ты, Родриго, помните меня? А где Фернандес? Где он? Дам миллион — кто его приведет».

Параллельно она начала лихорадочно чистить и жрать бананы, разбрасывая кожуру просто как обезьяна.

Дамы буквально поедали глазами ее лицо, юное, пухлое, грязное. Оно не отличалось красотой, у девочки имелись в наличии прыщи и типичная для подростка отечность под глазами, еще и нос был раздутый, а грязные волосы свалялись во что-то похожее на дреды. Брюхо наличествовало. Хиппи?

— Она помнит только недавнее! Бедная, у нее пубертат. Моя глупая девочка! — громыхнула мисс Занд и положила трепетную длань на голое плечо юной мадам де Стаэль. И тут же эта жадная рука была отброшена, как бы между делом.

Официант принес дикарке порушенное блюдо фруктов, появился главный врач, дал указания, исчез, девушке поставили на стол сок в бокале. Она одним махом его выпила, а через минуту уже положила голову на стол и обвисла. Ее унесли.

— В этом возрасте мы все как сумасшедшие, — откликнулась фройляйн Пруст.

На следующий год та же троица приехала и услышала, что мадам де Стаэль все еще ищет Фернандеса, шныряет по джунглям — иногда в чем мать родила — и сбегает от учителей именно сюда, в санаториум своей первой любви, причем сторожа надеются на будущие подачки — пока что она знает только формулу «дам миллион», однако денег банки ей не выделяют до совершеннолетия (до восьмидесяти пяти?), а пока оплачивают санаторий, дом экспериментаторов и их изыскания, содержат педагогов, врачей и персонал. Но вот, когда же случится искомое совершеннолетие, неизвестно, это должны установить судебные эксперты, а также психиатры, что делать.

В виде исключения местное правительство дало ей возобновляемую визу, потому что, первое, ее капиталы остаются в стране и, второе, из неких гуманных соображений — глупая девушка может не принять другой родины, страны с зимами, без этой свободы, джунглей и надежд, и может там погибнуть в холода, оставаясь вечной бродяжкой со своими криками «Фернандес, Фернандес», — или наследники упекут ее в психбольницу.

Такое дал интервью местный главврач в женский журнал (издание лежало на видном месте в библиотеке). Ибо вся история — с разнообразными домыслами типа: не было ли там психологического давления, а также пыток и кандалов, — просочилась, благодаря проискам именно наследников, в мировую прессу, и боковые потомки банкира возбудили ряд уголовных дел (преднамеренное интеллектуальное убийство, первый случай в истории, в связи с этим исчезновение, то есть хищение, миллионов).

И трио дам, собравшись на лето, все кукует, что вот — поменялось у нее тело, кожа, полностью убрана память о прошлом вместе с простыми навыками поведения, и все сделали правильно, иначе нам, умным, с нашим воспитанием, образованием и опытом, было бы невыносимо жить снова среди идиотов-подростков! Это как в двенадцать лет окончить университет, сплошная тоска! Не с кем слова сказать! И на всю жизнь причем.

Да, у нашей бедной мадам де Стаэль, говорят они, уже возобладали гормоны другого возраста, разум стал пуст, а любовь (здесь они глядят мимо друг дружки в некую даль) и тоска остались. А м-м Занд как парапсихолог однажды добавила, что память есть у каждого кусочка кожи, у каждой поры, чуть ли не память у сердца — есть ли, нет ли. Память у этого ритмично дрожащего комка.

Письмо Сердцу

Для пояснения скажу, что выхода у меня не было и нет. Сейчас я все запишу и оставлю тебе в электронном виде, потому что пора. То есть могу исчезнуть.

Скажу тебе одно: я уже почти поняла, что происходит, но понимать не хочу, поскольку уже давно известно, что всепонимание есть не что иное, как начинающийся отек мозга. Этот возглас «Я все понял!» сопровождался именно таким диагнозом врача (в известной книге Итало Звево).

Нас оставили, но об этом молчок.

Теперь обо мне, о моей ситуации.

Начать с того, что за мной охотятся. Мы получили этому подтверждение, когда Скорая вскрыла базу данных службы безопасности одной очень крупной фирмы, производителя бриллиантовой ювелирки. За их поисками уже вырисовывался видеопортрет женщины с разными чертами лица, разного роста, но, по всей очевидности, с идентичным черепом и кистями рук.

Я бежала пока что в Чарити. Надо было входить в контакт с определенными группами людей, и в разговорах обязательно мелькнет название местностей, где они скрывались от цивилизации. Интернет всем доступен, тем более что за моими поисками в Сети, возможно, уже следили, а вот любопытствующие люди со свободными деньгами ищут и находят особые схроны, не известные в цивилизованном мире.

И пришлось залететь сюда, когда-то это было именно такое особое место, сейчас уже модное и людное, причем мне надо было попасть в странное сообщество чужеземцев, выбор пал чисто случайно, на полтора дня с двумя ночевками и бесплатно, как бы в гости, потому что тут меня знали как почти коронованную особу — когда-то я проездом ужинала здесь же, в этом краю, со Стеллой и моими знаменитыми друзьями.

Стелла обитает в Чарити зимами, живет при художнике Дионисии, который тоже сюда переезжает на полгода. Стелла знает меня просто как Беттину, она не в курсе, что это мой светский псевдоним, хоть он и есть подлинное имя, данное мне моими приемными родителями, тут все чисто, проверяли и не раз, только насчет моих патологических склонностей к воровству все было папой стерто по договоренности, ребенок из детского дома, а там все такие... А вообще-то я известна в определенных, очень тесных, кругах (включая службы безопасности некоторых фирм) как воровка с тысячью лиц. Но в нашем кружке трансмишеров я главный добытчик денег, ты это знаешь.

Трансмишер, поясняю для дальнейшего употребления, от слова «трансмиссия». Термин ничего не значит, мы его уже не произносим, это было самоназвание маленького кружка в сиротском доме для ненормальных, куда некоторый учитель труда с диагнозом «вялотекущая шизофрения» собрал детей с особыми отклонениями. Он переходил с одного места работы на другое и всюду искал. Нашел девять человек. Мы были способны исчезать и появляться. Я воровала для няни, о ней позже.

Это происходило уже после смерти учителя, ты учился в университете и, может быть, не знаешь всех обстоятельств, ты появился на момент, поцеловал учителя и ушел, а я тогда еще жила там. Его убили местные подростки, которые выследили, как он передвигается без костылей. Помнишь, он иногда перепрыгивал на своей единственной ноге через ручей и нас этому учил. Парни его догнали в лесу и отобрали у него костыли. А он, я думаю, легко стал скакать по лесу, и они его застрелили из обреза. Деревня давно подозревала, что он дьявол.

Он научил меня и остальных (да и тебя) коммутироваться через всю планету. Мы можем собираться по первому зову опасности. Наши перемещения, трансмиссии, происходят мгновенно. Я воровка, но приучена ничего не иметь, все отдаю. Я всегда одна и без денег. Мой трансмишинг не приносит мне доходов. Конечно, я могла бы работать секретным курьером по маршруту Садовое кольцо — сейфы Швейцарии, а также под заказ похищать мелкие объекты с выставок и из сейфов. Но это означало бы для меня потерять все, главное, что свободу.

В нашем теперешнем малом кружке трансмишеров двое уже посидели за решеткой, перемещаясь только в строго заданном направлении с посылочками, поскольку у хозяев под прицелом находились также семьи несчастных. Буквально под прицелом — их сторожили на некоей базе отдыха за забором.

Рассказываю тебе, потому что мы тревожили тебя редко. Очень любили и не нагружали своими бедами. Ты ведь идешь на Нобеля, ты занят вечной молодостью, что есть самое главное для этих твоих спонсоров и клиентов с деньгами.

Ну так вот, и к этим дежурным мы смогли найти подход. В базе данных охранного предприятия содержались их имена, а также адреса и имена их ближайших родственников, и стражам было сообщено однажды ночью по телефонам, отдельно каждому, что в их квартирах пожар. Звонили плачущие жены и матери, и один за другим, таясь от коллег, все поочередно попрыгали в машины, и мы вывели своих, вскрыв все замки нейтронным резаком...

Разумеется, все голоса были сфабрикованы на основании прослушки.

В порядке информации, ты ведь помнишь: мы не можем, никто из нас не может переносить в момент транса ничего тяжелее двух килограммов. Караты, однако, не входят в расчет, два кило бриллиантов — моя мечта.

Данная информация важна для рассказа о том событии, которое произошло на следующий же день. Ты косвенно, на десять минут, принял в нем участие.

Что я для посторонних — нечто странное, всегда приветливое, легко одетое, говорящее на многих языках свободно. Боящееся полиции. Не допускающее флирта. Я всю жизнь любила только одного человека. Моя внешность — любая по желанию. При необходимости я ворую, но очень легкие вещи. Но, в основном, несколько граммов.

Однажды я дошла до самого дна и, сделав несколько мелких уколов в район ноздрей и бровей плюс загримировавшись под веснушчатую блондинку, померила кольцо с очень крупным бриллиантом прямо под самой камерой слежения.

Кольцо я обработала уже в Амстердаме в доме графини Кристины Кениге, художницы, бриллиант покрыла латексом, покрасила изумрудкой под поддельную бирюзу и оставила в сумочке в ее доме до востребования. Латекс снимается легко. Кольцо с биркой удалось продать при помощи Кристины ее жадной подруге по легенде «Наш Зено срочно хочет "бентли"», но после смены оформления (белое золото и изумруды на простую платину) и лейбла.

Мои снимки уже лежат в Интерполе, только даты и время в них совпадают, поэтому аналитики знают разных персонажей, которые в промежутке получаса засветились в разных регионах земного шара, и потери при этом составили пол-миллиона евро (нам деньги нужны были для пластических операций на девять персон).

Чаще всего я безвозмездно беру сумки, это моя слабость — и не буду называть фирм. Сумки я дарю подругам.

Эти подруги, богатые дамы из высшего света, художницы и модельерши, верят в то, что я Беттина фон Аним и что я избегаю репортеров. Тем не менее на вернисажах в фонде Пегги Гугенхайм, во всех оперных театрах мира на скандальных премьерах, на кинофестивалях в Ницце и Венеции — всюду мои светские друзья со мной встречаются, в том числе даже на охраняемых яхтах среди модного сброда. Беттина фон Аним.

Но сейчас круг слегка замкнулся, создалась необходимость лечь на дно. Меня искали хозяева сбежавших трансмишеров. Когда те наши двое исчезли из-за решеток, пропали и их семьи. Мое товарищество осуществило тщательно спланированную акцию по смене адресов и лиц.

Вообще-то цель у нас одна — разоблачения, вброс в СМИ компры, взятой на самых высоких уровнях, тем самым попытка влиять на общественное мнение, на выборы в частности. Мы влияем на многое.

Но тут дело было только в том, чтобы справить девять поддельных документов. Они, вправду говоря, были подлинными. Мои паспорта с разными фотографиями и регулярно возобновляемыми визами тоже все подлинные, это дело у меня налажено, в посольствах тоже сидят люди.

Само похищение девятерых прошло гладко. А уж искать семьи в Бразилии, Южной Африке или в Тель-Авиве прежним хозяевам оказалось не под силу. Тем более что беглецы прошли через руки пластических хирургов, причем в разных клиниках мира. Ведь каждый такой мастерюга способен производить только клоны, отсюда отряды похожих красавиц, передающих имена и телефоны врачей из рук в руки. Мы убрали из их базы данных снимки «до», которые делаются накануне операции, чтобы показать разницу.

Правда, у прежних хозяев оказался список членов нашей группы, нечего было надеяться на молчание узников. Под пыткой можно не выдать, но когда угрожают при тебе пытать твоих детей?

Однако же в их списке значились, как мы поняли, только клички. Имен друг друга даже мы не знали. Ну то есть я знаю.

Но, к сожалению, после пластической операции оба спасенных «наших» лишились возможности мгновенно перемещаться в пространстве.

Поэтому для нас, остальных, отменялся такой вариант как смена лица. То же произошло бы (нас предупредил учитель), если бы мы взяли в транс груз больше двух килограммов.

Иногда, говорил он, очень нужно. Но нельзя! Я повторяла это себе в тот момент на пляже. Нельзя. Нельзя.

Маленькое тельце крутит в прибое. Но нельзя.

Они, наши враги, перетрясли все фотоархивы светских репортеров, попавшие в Интернет, изучили видеосъемку залов, где я не могла не появляться, отсутствовать — значит выпасть из круга избранных.

Совпадение костей рук и черепов разных личностей — вот что их занимало. Еще бы, лишиться таких доходов!

Скорая трансмишировалась к ним в офис вовремя, после того как они провели сверку изображений, накладывая их друг на друга, но тут сработала пожарная сигнализация и за окном появился дым (одна петарда, смоченная бензином, взорвалась на подоконнике нижнего этажа). Они выскочили в панике, увидев, что происходит снаружи и услышав вой противопожарной сирены. Наша Скорая быстро стерла из их компа мои параметры и ввела в их базу данных взятые в Сети рентгеновские снимки пациентов хирургических отделений (черепа с небольшими патологиями, кстати). Маленькая месть!

Свои меня предупредили, чтобы я не появлялась в дружественных домах. Нигде в мире.

Бывшие хозяева тоже пока затаились. Они оказались бессильны без наших двух трансмишеров. Привыкли всё получать бесплатно и мгновенно, всё сворованное. Документы, изумруды, экспонаты из музеев и галерей. Как у них чесались руки, в которых было пусто! Их далекоидущие планы свернулись, как кислое молоко. Отсюда произошли две незапланированные цветные революции, замена одного президента на двойника и мировой кризис.

* * *

Так вот, Стелле мои побочные друзья сообщили по Интернету, что я приеду в Чарити и что мне нужна квартира на две ночи. Стелла дала свой адрес.

Очутившись на жаркой, пыльной улице, я купила (именно купила, все по-честному) в придорожной лавчонке чемодан, купальник, легкую юбку, шлепки и оказалась при багаже.

Я действительно прилетела из Индии, где проходила ретрит в дальнем монастыре, но по договоренности я жила там без регистрации (и прилетела оттуда не в аэропорт, а трансмишировалась на ту самую улочку в Чарити).

Стелла встретила меня у порога.

Со Стеллой вышел ее бойфренд, Дионисий, художник. Меня провели через закоулки старого запущенного дома на пространную веранду, которая выходила прямиком к пляжу и океану.

Надо всем этим висело уже покрасневшее светило.

— Ну у вас тут рай, — похвалила я.

— Рай, — откликнулась Стелла печально.

Дионисий был польщен. Какая-никакая аура меня всегда окутывала. Моими комплиментами гордились.

Я всегда знала цену всему, инстинктивно. Но повадки эксперта, наживающегося на неофициальных сертификатах, то есть устных, без следов (насчет Кандинского мне нечего сказать, нет-нет), — ко мне пока еще не прилипли.

Проще говоря, иногда меня просто физически тошнило от опасности. Что в нас дополнительно воспитал погибший учитель, это было особое ощущение, резкое чувство несвободы, неудобства в случае угрозы. До рвотных позывов.

Собственно, если бы не события последних дней, я бы уже жила, по крайней мере безбедно. Пришлось бы только оказаться в некотором месте в определенный момент заранее. Покупатель уже приготовился ехать со мной смотреть искомую вещь днем позже. Шагал, видите ли, обложка рукописной книжечки начала двадцатых годов.

Цена вопроса составляла четверть миллиона, моя доля.

Но меня затошнило.

То есть не было ли тут подставы — вот в чем вопрос.

Они уже, возможно, просекли некоторую закономерность, предпродажа фальшака, т. е. сфальсифицированного полотна или листочка с рисунком, сопровождалась каким-то мгновенным видением. Чья-то фигура возникала в момент демонстрации покупателю сфабрикованного объекта, и ее в виде тени фиксировали камеры слежения. После чего начинался громкий, безобразный скандал по поводу фальшивки.

Галерейщики наняли людей.

Теперь я находилась далеко ото всех, сидела в кресле, пила чай.

Внимание! Послышались голоса. Я сделала вид, что мне все равно.

На входе в рекламных позах стояли три блондинки. Опасности для меня они не представляли.

Возраст их прочитывался тут же, род занятий тоже. Все у них уже было.

Разговор велся о том, что они в шоке. Произошло просто адское шоу. Они поехали на пати, и не к четырем, а специально к пяти, попозже. И все равно никого там еще не оказалось, а к ним сразу подошли двое и так сказали — девочки, что, приехали работать, будете нам отстегивать половину.

И все с матом.

Девочки им ответили «а ну без рук» и резко так ушли.

Они, рассказывая это, явно были взбудоражены и польщены: их, сорокалетних, приняли за молодых проституток!

Они прилегли на тахту. Вторая тема оказалась пожестче: власти далекого Ауи приняли негласный законопроект о том, чтобы не давать разрешения на въезд незамужним женщинам моложе сорока пяти.

Вот что теперь в Чарити местным делать? Многие люди шлялись туда-сюда, там кончился сезон дождей, тут начался, визы на другие полгода есть, страны-то в двух часах воздушного пути. Тут Чарити, тут же Ауи. Бороться? Дискриминация по гендерной принадлежности? Гаагский суд? Но здесь вам не Европа, в южных странах свои жесткие правила, за незаконное проникновение через соседнюю нищую державу уже дали беспечной и богатой туристке год местной каторги. Она там, по слухам, занималась с проститутками йогой.

Далее, власти Ауи собирались требовать въезда мужа вместе с женой. То есть тратиться еще и фиктивному мужу на билет туда-обратно?

Да, от судеб защиты нет.

Потом, спустя полчаса, три стройные сорокалетки отчалили. Вот уж действительно они были грации, хариты, музы, что Чарити делает со своими обитательницами, что! Океан, морской воздух и плавание, загар, фрукты, массажные салоны. И одеты (раздеты) грации были у желтых модельеров (которые купленное в Париже и Лондоне передирают стежок в стежок).

И шла жизнь, особенно после заката, рестораны, звонки, возгласы, встречи, объятия, может, перепадет что-то вроде мимолетной любви, тут с такими вещами несложно. Любовь, искомый конечный продукт, производное всей этой жизни, цель: найти. Но денег у граций мало, жизнь известная, а красота и добрый нрав — это не товар для параситов. Которые сами ищут где прижиться.

Вот Дионисий совершенно случайно нашел свою любовь (я побывала тут на разведке, вчера, послушала). Он нашел любовь в Интернете и сиял как младенец, теперь дайте ему насосаться, приникнуть к груди, а то, что его Али оказалась замужем, Дионисия не волнует: он нашел. Дионисий, причем, нашел не женщину по переписке, что важно, он нашел певицу своей жизни, нашел ее песни, ее музыку и ее поэзию, и это для никому не известной Али важнее важного: вот он, ценитель. Дионисий написал ей емелю, получил ответ (а клип Али, снятый ее мужем-продюсером, Дионисий распространил среди своих и вывесил в блоги).

Дионисия сразу пригласили в гости. Оказалось, они живут не на разных континентах, а просто обитают рядом, в получасе езды на скутере. Он посетил дом Али. Пребывал в умилении. Увидел ее (их супружескую) постель, бросился на нее, чуть ли не рыдая, и о том вечерком рассказал Стелле. А как же, Стелла была его единственной родной душой на всем побережье.

Муж-то Али, я знаю, не продюсер. Мне не удалось сразу понять, кто он, а такая его индивидуальная защита о многом говорит. То, что он за мной не охотится, еще ничего не значит. Он, видимо, просто торгует тут, без рекламы.

Али тоже не певица. Это крыша. У нее ни концертов, ни продаж. Все стало понятно. Голос сэмплирован, сфабрикован.

Теперь в связи с новым увлечением Дионисия Стелла как бы отставлена, она на перепутье, ей надо снова искать свое, она потратила на Дионисия три года. Ни семьи, ни детей, ни любви. Три года назад она нашла Чарити как спасительную обитель, бросила все: работу, подруг и свою неудачную любовь, служебный роман с начальством, — сдала квартиру, покинула и заботливую маму, которая теперь все время шлет отчаянные эсэмэски, что съемщики съехали и новых не найти (Стелла такая не одна, на это они все тут живут, сдавая на родине свои квартиры).

А у Дионисия, ее найденной любви, здесь был прекрасный дом, снятый на четыре года, с видом на океан и заходящее солнце. И все складывалось так хорошо!

Подруги на родине легко ее забыли и принципиально почти не узнавали, когда она возвращалась по весне. Спрашивать ее им не хотелось, они знали все из писем, и она все ихнее знала оттуда же. Стеллу даже не стремились звать, как раньше, в гости. Семейные, заросшие бытом, занятые малышами и мужьями, образованием детей, музыка-языки-спорт, жизнь в тесных квартирах, заваленных книгами и тем дорогим сердцу хламом, который нет сил отсортировать и выкинуть, они, прежние подруги, давно вычеркнули прекрасную Стеллу из списка живущих.

Бывшая любовь, мужчина во цвете лет, когда она зашла на свою работу, стал хорохориться, потягиваться и таращить свой пивной живот, многозначительно поглядывая на остальных. Господи, и это был он?

Стелла стала столь совершенной, что просто не могла найти себе места на родине.

Народ там, дома, вообще считает, что в Чарити одни мертвые. Ведь что есть жизнь? Иметь цель (это самое важное) и ее достигать и достигать.

Вопрос из Чарити: чего достигать-то?

Туманный ответ: того что необходимо.

Вопрос из Чарити: а у нас что? У нас ведь полное исполнение желаний! Погода, природа, свобода, дешевка. Деньги есть.

Ответ: Знаете, погодные условия не есть главное в развитии человечества. Ваши тамошние жители веками живут при таком раскладе, что и океан, и солнце, и дешевка, кокосы-ананасы, а чего они достигли, аборигены? Что тут, выросли собственные выдающиеся мастера?

Интеллектуалы? Художники, что бы ни иметь в виду под этим словом? Ни архитектуры, ни производств, ни университетов, ни наук. Мелкая торговля. Пять этажей как предел. Грязь, салоны тату, подозрительные массажи и все виды похоти. Телевизоры с сериалами. Да и вас что ни полгода, то высылают, вы переезжаете. И зацепиться в Чарити не за что, продажа домов иностранцам запрещена.

Вопрос из Чарити: что, так и жить в нищете, тесноте, мокропогодице, снегах и гриппе? Толочься в толпе, в пробках, в метро, общаться на работе с кем попало? Попадать в отечественные жуткие больнички? Не знать с кем потрахаться? Не видеть солнышка, не дышать воздухом?

Ответ: наркоманы вы там.

Вопрос из Чарити: вы же курите сигарету за сигаретой? Пьете водку до блёва? Обжираетесь в гостях, три кило прибавки за вечер? Это же тоже наркота, привыкание. Чем вы лучше?

Ответ: вы для жизни мертвы.

Вопрос из Чарити: вы-то не мертвы?

То есть я, как обычно, создаю для себя портрет местности и список проблем ее аборигенов.

Мы поклевали у Дионисия орешков кешью, выпили чаю.

Я выглядела как они, слегка утомленная с дороги, с мокрыми после душа волосами, стройная женщина в притемненных очках и в очень дорогом прикиде. Сумочка Луи. Босоножки Баленсьяга. Все ногти в порядке, нелакированные. Женщины жадно меня разглядывали, стараясь избегать прямых зрительных контактов. Вот, оказывается, как надо, прочитывалось в их настороженных позах.

Затем началось вечернее мероприятие, традиционный закат солнца. Дионисий усадил меня в первый и единственный ряд партера. Солнце было уже красное, слегка разбухшее, и оно аккуратно, как барышня в сортире, опускалось седалищем в море.

Главное тут было — осуществится ли точное попадание в горизонт, то есть ясно ли будет видно, как нижний край светила коснется предела? Тогда свершится тач-даун.

Однако не срослось, горизонт поднял некоторую водную пыль.

Потом мы поехали ужинать в лучший ресторан. Меня принимали по высшему разряду. За все платила, кстати, Стелла. Ее статус, это было уже видно, изменился.

Я тоже расплатилась с принимающей стороной своим щебетаньем о том, как я жила в знаменитой клинике, в цековском санатории (его так окрестил один известный вам политэмигрант Г., с которым мы до того ужинали в Лондоне, уточнила я). Там, в этом аюрведическом прибежище, жила также и Марина Абрамович, ударение на второе «а», знаменитость, которая устраивает перформансы по всему миру, позирует голой для видеоарта, а начала она с того, что бритвой вырезала у себя на животе красную (в полном смысле слова) звезду, из которой полила струйками кровища. Марина иногда месяцами живет за стеклом в каком-нибудь музее, даже сидит на унитазе и моется на глазах у публики. Люди валом валят на нее посмотреть. И к ней туда стала каждый день приходить какая-то женщина. Потом она начала ей писать записки. Это была знаменитая лесби Сьюзен Зонтаг, мать всей американской культуры, которая вскоре умерла от третьего рака. Маринин следующий проект — в МОМе она будет стоять со змеями в руках на высоте пяти метров по восемь часов в день, а в конце бросит их. Тут я выразила моим новым друзьям сомнение, что общество защиты животных позволит мучить змей. Как они старались меня не слушать, смотрели в свои экранчики, этакие занятые бизнес-леди. Но слушали. А я пела: у Марины мы ужинали с ее друзьями (следовали всем известные имена).

Затем я показала Стелле и Дионисию свое видео, я его сняла на телефон, как мы со всем этим сбродом ужинаем в ресторанчике шиваистского городка поздней ночью, после того как нам явилась местная достопримечательность в известном месте паломничества, в пруду, обрамленном каменным забором с двумя грязными белыми колоннами на входе и с выбитой навечно надписью на английском: «В прошлом году тут утонуло 56 человек».

Там к нам выплыла из черной зеркальной глубины животом вверх белая женщина с обширным брюхом, но без шеи, с головой в виде огромного рта, подождала чего-то и скрылась. Не рыба, те не плавают на спине. Оказывается, мы видели легенду местных ночей, об этой русалке говорят, что она питается трупами (рассказывала я).

Так прошел наш ужин с Дионисием и Стеллой.

Утром они за мной заехали на такси, и мы отправились в ресторан завтракать. Светская жизнь!

То была чудесная поездка, в открытые окна дул душистый ветер с высохших соломенных полей, виднелись далекие горы. Стелла подбородком показала туда: недавно они ездили на двое суток в заброшенный монастырь, в святые места, в соседнее государство по групповой визе, добираться туда восемнадцать часов в одну сторону, затем ночевка, и с утра шесть часов пешком по горной тропе вверх и потом восемь часов вниз. Обратно труднее, кстати!

Но невероятно интересно, что, когда полезли в последнюю отвесную гору, пошел снег! И стемнело быстро! На вершине в разрушенном монастыре, как оказалось, живут только двое — девушка и какой-то мальчик, примерно десяти лет. Они не видятся друг с другом, сказал экскурсовод. Едят что люди им оставят. Воду носят из бассейна, он ниже на двести метров, там собирается дождевая вода. Девушке двадцать шесть приблизительно. Оба не говорят на английском. Постоянный холод. И мальчик и девушка обитают в подземельях в разных концах монастыря на горной вершине и жгут каждый свой костер. У мальчика была вода в двухлитровой консервной банке, все, кто дошел, согрели его банку на костре, поели что принесли (и его покормили) и выпили горячей воды.

Стелла откололась от компании («всегда ищу свое») и побрела в другой конец монастыря, заметила в щели огонь. Там чужая девушка сидела у костра без воды, явно больная. Консервная банка рядом с огнем валялась пустая.

Стелла мне радостно рассказала, что сходила вниз за водой к бассейну, чуть не упала с тропинки, поскользнулась в темноте на обратном пути, потом пришла, согрела воду, покормила хозяйку горы тем, что принесла наверх в рюкзаке, галетами и колбасой.

Девушка поела, закрыла глаза, взяла левую руку Стеллы и держала молча пальцы на ее пульсе. Лапки у нее были горячие, мягкие и грязноватые. Неожиданно Стелле стало очень жарко, как от теплового удара. И вроде бы монахиня ей как-то сообщила (чуть ли не во сне), что это тепло дает большую силу и ее можно передать кому нужно, надо только взять теперь Стеллу за левую руку в районе пульса. Я не шелохнулась в тот момент.

Она сказала, что возвращалась из монастыря чуть ли не на крыльях.

Тут и пришло известие обо мне, которое она восприняла как начало другого будущего. Почему-то она на меня надеялась. Я прибыла за информацией, но и она, ввиду изменений в своей жизни, тоже ждала новых сообщений. Я быстро рассказала ей о Бау. Там дают визу на пять лет. Туда уже потянулись из России. Стелла тут же прониклась благодарностью.

Итак, было утро, мы уселись в пляжном ресторане, и к нам подгребли еще двое. Собственно, создавалась обычная для Чарити ситуация, компания разнородных пар, сцепленная как пазл, разнородными боками — один знает этих, другой тех, и первые двое всех остальных соединяют, спасибо. Светская жизнь, то есть.

Дионисий познакомил меня с пришедшими, с рок-музыкантом и его женой. Я так подробно рассказываю о них, потому что они все стали позже свидетелями одного довольно страшного для меня события, когда я вынуждена была открыть себя.

Женой представленного мне и известного (не мне) музыканта оказалась очень спокойная оторва, мощная как кариатида буддистка Тами, которая прошла огни и воды, ничего не боялась и ничему не удивлялась. Ее сила была не творческая, не созидающая, не нервная, т. е. вдруг начинающая пульсировать по непонятной причине и не слишком поэтому приятная для окружающих, но эгоцентрическая, занятая только собой. Ее сила была буддистской, позитивной, доброжелательной и равнодушной. Она себя никому не навязывала и мало о себе говорила. Около этой могучей женщины хотелось пригреться, встать под ее защиту. Видимо, такая сила в ней существовала на генетическом уровне, изначально. Но довольно глубоко, не проявляясь ничем, даже в дальнейшем, при развитии той тяжелой истории. То есть на помощь Тами бы не пришла ни к кому. Она зарабатывала как могла, ничего не гнушаясь. Таковы их принципы, таких существ. Пусть они живут.

Потом мы стронулись и пошли куда-то по пляжу за километр в другое кафе. К нам присоединилась еще одна пара, та самая Али, новая любовь Дионисия, и ее безымянный муж, загорелый до сиреневого цвета, с блестящей головой и выпуклыми лиловыми глазами, которые он безуспешно прикрывал веками. Дионисий не отходил от Али, они следовали впереди, муж Али отстал, вел переговоры по телефону, мы кучковались втроем посередке, Тами, Стелла и я. Известный музыкант, имени которого я так и не спросила, вообще куда-то делся.

Солнце висело еще высоко, океан накатывал мощные волны, в воде виднелись точки, головы пловцов. Было не слишком жарко. Над нами пролетел вертолет. Не за мной ли? Я могла ожидать чего угодно. К примеру, звонка по мобильнику и пули в голову через три секунды после ответного нажатия кнопки. Нет, я им нужна живая.

Дионисий впереди так и приплясывал рядом с Али. Как-то странно он подпрыгивал, сгибался, размахивал руками: убалтывал.

Стелла, как бы по-матерински извиняясь, заметила:

— Он ведь больной, у него проблемы с позвоночником.

Я видела только, что он то припадает к Али, то клонится в сторону.

Мы шли к месту моей предполагаемой гражданской казни, неумолимо приближалась судьба. Вертолет вернулся, пролетел низко над головами.

С него, видимо, велась аэросъемка. Там, вдали, может быть, сверяли видео с полученными изображениями. Иоганнесбург? Москва? Интерпол?

Как это бывает, вертолет садится, из него выпрыгивают люди в мундирах, подхватывают человека под руки, всё.

Но уже впереди было кафе, Али и Дионисий поднимались по лестнице к навесу.

Там, под сенью пальм и крыш, я буду частично в безопасности. Оттуда можно незаметно исчезнуть, якобы получив по телефону известие и не извинившись. Только ведь вопрос куда. Где найти то не известное им место, в котором я никогда не отмечалась и где можно спрятаться? Амазонка? Север я не принимала во внимание, спасибо, я там провела восемь лет в детдоме.

Вертолет улетел. Мало ли какие дела у местных пограничников. Тут вон торговцы белой смертью работают почти открыто, как этот муж Али.

Я спросила:

— Пограничники?

Стелла в ответ почему-то стала рассказывать, что произошел случай недавно: сюда, в Чарити, завеялась мамаша с семью детьми, молодая такая мать-путешественница, принципиальная странница. Старшей ее дочери насчитывалось всего пятнадцать лет, и ей так понравилось в Чарити, что она решила тут остаться с новыми местными друзьями. Вся пошла в мать, у той к тридцати двум вон сколько детей. Ну что, мамаша уехала с шестью младшими, девочка осталась. Ее нашли утром на пляже мертвую и изнасилованную. Медики сказали, передоз. Диагноз и вердикт. Никто не сел. Но все тут знали, в каком кафе она сидела в ту ночь и кто ее угощал кокаином, и откуда были те, кто ее, уже умершую, волок на пляж.

Мамаша с шестью детьми прибыла на опознание и опять уехала, снова на сносях.

Это Чарити. Это свобода. Это тач-даун для всех.

Мы забрались по ступенькам в ресторан, чтобы как раз зачем-то наблюдать сверху этот их закат.

Оказалось, что данное заведение, в котором мы осели, оно для родителей с детьми. Тут имелись низенькие качели, и в спутанной соломе, которая здесь изображала траву, валялись кубики.

Родители пребывали в большой беседке за огромным низким столом, в подушках. Дети паслись поодаль. Их было четверо. Одна девочка, совсем маленькая, одетая только в памперсы и платочек, орала, стоя перед этим павильоном. Просто стояла и рыдала. Родители вели себя достойно, сидели, не шелохнувшись, ни намеком не позволяя понять, кому из этих людей за столом девочка плачет. Видимо, здесь существовало правило воспитывать детей ровно, без паники, не вмешиваясь.

В стороне, за столиком, немолодая пара, наоборот, то и дело вскакивала. Им работы хватало.

Их дети, трехлетние по виду близнецы, проводили время у качелей, где находилась еще одна девочка, совсем голая, в панамке, лет двух. Она не издавала ни звука. Видимо, пока что не говорила. Старший близнец, рыжий и кудрявый, занят был тем, что не допускал голую к качелям. Младший, беленький, рылся в песке, что-то строил из кубиков. Родители рыжего срывались с лавки каждый раз, когда он отталкивал девочку, и уводили его. Тогда девочка с трудом карабкалась на качели. Рыжий как можно скорее вырывался от папы с мамой, кидался к качелям и сбрасывал врага в песок. Девочка, упорный ребенок, не плакала, поднималась и выжидала. Она паслась тут как изгой, ничья дочка.

Мы со Стеллой потягивали сок. Дионисий и Тами в креслах пили спиртное, платить будет Стелла, это ясно. Али сидела рядом с ними в гамаке лицом к солнцу. Спокойствие, безразличие, нирвана.

Так. А где же родители голой девочки, которую все время бьют? Ни она ни к кому не подбегала, ни на нее никто не смотрел.

Спиной к качелям сидела за столиком плотная молодуха, смуглая, чернявая, в коротком платье и босоножках на высоком каблуке. Она пила и ела, ни на что не глядя. Демонстративно так и слегка с претензией.

Один только раз голенькая подошла и прислонилась к ней, но мамаша, вот она, не шевельнулась.

Видимо, она тоже придерживалась той точки зрения, что ребенок должен сам осваивать этот мир. Или ей все надоело.

Она ела и ела, перемалывая челюстями мясо, запивала его пивом и неохотно поднимала свои черные глаза на окружающий мир.

Такой принцип защиты своей территории, свободной от детей. Иначе зачем люди сюда пришли?

Но океан, вот в чем дело, океан гремел в нескольких десятках метров отсюда, лизал песок своими жадными языками, если говорить правду. Лизал пустой песок в надежде на добычу.

Девочка, опять сброшенная бешеным рыжиком с качелей, поднялась, огляделась, нагнулась и вдруг подобрала веревочку.

Потянула за нее — из соломы выехал кусок синего пластика. Игрушка!

Рыжий пока что ожесточенно болтался на качелях, закрепляя свою победу. Скоро ему надоест, тогда жди драки.

У детей так: валяется что — пусть валяется. Но стоит кому-нибудь присвоить вещь, как у остальных пробуждается инстинкт охоты.

Поэтому девочка побежала, волоча кусок пластика за собой. Она ринулась к океану.

Теперь я поняла, что это был не просто бесполезный предмет: внимание. Это был продолговатый плотик. На нем, видимо, взрослые катали детишек в океане. Потому там и имелась веревочка.

Девочка, может быть, вспомнила предназначение данного предмета. Скорее всего, кто-то ее водил с собой поплавать. И, пока близнецы не отобрали, она поволокла плотик к воде, защищая свою добычу.

Ее мать сидела рядом с нами наверху, профилем к линии прибоя, и лениво работала челюстями, прихлебывая из кружки пиво.

Она явственно отдыхала тут, пришла, то есть, побыть на воле. С ребенком ты всегда, все время на привязи. Понятно же.

Здесь, на данном клочке земли, царила свобода, провозглашенная свобода родителей.

Я спрашивала себя, кто я такая, чтобы вмешиваться в чужую жизнь (или смерть). Это не принято в западном мире.

Да и не будешь стоять с палкой над такой мамашей. Рано или поздно случай произойдет, если не смотреть за ребенком. Именно «смотреть за», следить глазами.

Девочка будет от нее сбегать всегда. Есть такие дети, группа риска. Немножко подрастет, уйдет окончательно, как та несчастная, которую нашли на пляже.

Наша компания сидела лицом к океану, но вряд ли они станут вмешиваться. Ни огромная спокойная кариатида Тами, которая уже выпила свою порцайку и ждет, когда нальют еще, ни Али, к которой поднимается муж, ни Дионисий, наблюдающий с бокалом в руке приближение тач-дауна. Только Стелла насторожилась. Но она робкое, совестливое существо, и она не станет нарушать границы чужой приватной жизни. Это здесь не принято. И потом, все ее мысли заняты Дионисием, сколько он выпьет. И сколько выпьет Тами.

Я же ни на что не имею права.

Бежать по песку, хватать ребенка, который уже омочил ножки и хлопочет, подтягивая плотик к воде? И куда потом с ним? К матери? А если настойчивая девочка опять побежит вниз, спасая свое добро от рыжика?

Молодуха, принципиально не глядя по сторонам, мрачно сидела над десертом.

А внизу, в полосе прибоя, приплясывал лицом к океану невысокий парень в роскошных дредах. Он только что кинул партнеру, находящемуся в воде, пластиковую тарелочку и ждал.

И он стоял профилем к нам, спиной к девочке, как-то так это выглядело. То ли заходящее солнце слепило ему глаза, и он отвернулся.

Девочка уже завела в воду плотик.

Издали набегала огромная волна.

Но я не могу взять в транс больше двух килограммов! Нельзя!

Я набрала сигнал SOS по шести адресам, ты помнишь.

Волна накрыла ребенка.

Всплеск, девочку вознесло в позе эмбриона, мелькнул притянутый к груди подбородок, поджатые ножки, скрюченная рука, в стекловидной пасти океана исчезла мокрая макушка, напоследок мотнулся кусок синего пластика. Все. Закрутило, закачало панамку.

Колонна, Окно, Сердце, Очки, Генетик, Скорая, мои адресаты.

Перед тем как исчезнуть из кафе, я все-таки пожала левую руку Стеллы, прикоснувшись к ее пульсу.

И тут же ощутила сильнейший тепловой удар.

Девочка, как оказалось, весила примерно шестнадцать килограммов, Учитель снабдил нас умением знать то, что нам несподручно (он так выражался о пределах наших возможностей).

Тот лишний вес я взяла на себя благодаря полученной силе. Я смогла оценить дар монахини.

Мы всемером подняли девочку с глубины на берег, Сердце, ты применил искусственное дыхание, сделал непрямой массаж сердца, отсосал воду из бронхов.

Мы перецеловались, потом вы ушли в транс.

Передаю дальнейшее.

Я стояла с живым ребенком на руках.

Никто наверху ничего не видел: ни извлечения из воды, ни откачивания — всей этой долгой получасовой процедуры. Наше время отличается от времени жизни.

Но все видели, что я держу чужого ребенка.

Девочка глухо кашляла, терла глазки. Не плакала. Не приучена.

Идиотское положение.

Парень в дредах, который в очередной раз готовился кинуть тарелочку, размахнулся, развернулся и увидел меня. И тут же, не отвлекаясь, ловко бросил тарелочку партнеру.

Я стояла. Куда мне было ее девать? Нести наверх? Все оттуда небось смотрят на меня с легким неодобрением. Что я взялась плестись за чужим ребенком и караулить его, а тем более демонстративно брать на руки? Наблюдали как бы осуждая. Я получила целый ряд неодобрительных сигналов, мы это умеем.

Затем парень поймал тарелку, аккуратно положил ее на песок и со словами «Thank you» взял у меня девочку и понес наверх.

Плотик бил по его ногам: веревочка как была зажата в детском кулаке, так там и осталась.

Я пошла следом.

Наверху, в кафе, меня с огромным приветом уже ждет чернявая мамаша.

Причину ее поведения я теперь поняла: она следила за ребенком наверху, отец же (дреды) отвечал за побережье.

Именно поэтому он с таким значительным выражением на лице и полувзглядом наверх сказал свое «Thank you».

Она распределила сферы влияния. Отец обязан тоже принимать участие в воспитании ребенка!

Потому она принципиально и не полезла вниз.

Он же тоже имел свою территорию свободы и право на игру в тарелочку.

Возможно, между ними уже шла та семейная война, в которой доказательствами чужой неправоты служат чудовищные аргументы вплоть до самоубийств (иногда медеи обоего пола убивают детей, а как же).

Возможно, мать девочки собиралась доказать всему свету, что он никчемный отец. И она бы это доказала на всю оставшуюся жизнь.

Я вернулась к своей честной компании. Они беседовали как всегда. Они знать ничего не хотели. Им было за меня неудобно. Одна Стелла о чем-то догадалась. Она отошла и принесла мне кофе. Я, однако, сидела сухая. Мы не оставляем никаких вещдоков и улик. Мы ныряли обнаженными.

Я страшно рисковала, и не только собой. Окажись ребенок на три кило тяжелее, мы бы все сейчас кучковались здесь, на пляже, с исчезнувшим в волнах ребенком, не будучи в состоянии взлететь, без денег и документов, причем ты, Сердце, припарковался к нам в белом халате, а Скорая вообще в шубе. И все мы, возможно, остались бы без будущего. Спасибо Стелле и той монахине.

Парень в дредах, принеся девочку и явно матом выразив свое мнение мамаше, тут же сбежал вниз по ступенькам мимо меня и исчез отсюда от греха подальше.

А вот мамаша предстала передо мной, уперла руки в боки и начала орать. Она никому не позволит, своей матери даже, влезать в ее жизнь. Фака-маза.

Между тем девчонка ее уже, шатаясь, двигалась к океану, волоча за собой плотик, подальше от рыжего врага.

Я кивала, кивала.

Ребенок тащился, увязая в песке.

Ну что же, киты вон тоже упорно выбрасываются на берег. Лемминги вообще миллионами лезут в море.

Все. Я больше ничем не смогу помочь бедной девочке.

Но вот что интересно — народ на веранде и у стойки, все эти обкуренные бородатые пацаны и их пьяноватые девушки, они все вдруг безмолвно начали тянуть шеи и нацеливать свои экранчики, запечатлевая в них крохотную человеческую песчинку, которую уносило к океану, маленькое голое, беспомощное существо, идущее на смерть.

Ни в каком Интернете такое не увидишь!

Баба все орала, принципиально не глядя в сторону берега, но она уже тоже что-то почувствовала.

Потому что наступила тишина. Хозяин отключил музыку.

А под навесом, за спиной орущей бабы, люди целились своей аппаратурой вниз, хотя с такого расстояния трудно было что-то поймать. Стоп. Покой, невмешательство, нирвана.

А бедная Стелла сидела, чуть не плача, опустив глаза.

Дионисий что-то объяснял Али и ее мужу, показывая на садящееся в море светило, кариатида пила уже какую по счету даровую порцию джина с тоником.

Я только сказала: «Твой ребенок сейчас умрет».

Это вызвало новый поток криков о том, что она не позволит никому указывать, как ей жить.

Но почему-то она все-таки двинулась вниз. Она шла, увязая нелепыми каблуками в песке, вырядилась зачем-то в будний день, и она орала, теперь уже дочери.

Судя по ее спине и протянутым рукам, можно было подумать, что она рыдает.

Девочка стояла уже в воде и подтягивала к себе плотик.

Все в природе замерло. Море лежало шелковое, мелкая рябь колыхалась вокруг ребенка.

Дитя плюхнулось на плотик. Плотик сел на мель.

Веранда начала облегченно смеяться. Мы со Стеллой тоже. Кариатида хмыкнула.

Да! Все давно следили за развитием событий, нацелив экраны вниз.

Мамаша вернулась с девочкой на руках. За ними полз, как живой, плотик. Уж что маленький человечек имел на свете, за это он и держался, за веревочку.

Грянула обычная похабная музыка, но все восприняли ее с благодарностью, зашевелились, оживились, посыпались заказы, забегал официант.

А мы сидели лицом к закату, тач-даун опять не удался, марево все скрыло.

Но не было в обозримом пространстве более заботливой матери, чем наша чернавка, она одела своего детеныша, она катала его на качелях, а рыжего, который кинулся с кулаками защищать свою собственность, застыдившиеся родители мигом подхватили, увели и больше не отпускали.

Мамаша так и носила свою дочь до темноты, потом села за стол ее кормить.

Мы со Стеллой тайно улыбались как заговорщики.

Али и ее муж растворились еще раньше, так ничего никому и не сообщив о себе, но, видимо, сделав свое дело. Судя по всему, они передали что-то такое Тами. У нее был еще более мощный посыл вовне. Она как-будто что-то хранила, какую-то нужную этим людям вещь.

А позже все оказались на большой веранде в квартире этой кариатиды. Мы чувствовали себя как бы персонажами некоей местной светской хроники, хотя никакой прессы вокруг не наблюдалось.

— Закинемся? — сказала Тами.

Да, все сходится. Именно это. У нее уже было чем.

И вот тут наконец и Дионисий получил свою бесплатную порцию счастья. Видно было, что оно ему в конце концов привалило, что ему стало хорошо, и он, не в силах сдерживаться, буквально подскочил со своего стула и начал приплясывать. Его угостили за бесплатно, однако же, вскоре поняла я, малой дозой, и ему неизбежно понадобится вторая, уже за деньги, такая тактика у дилеров, Тами наверняка подрабатывала этим в голодные-то свои годы и подрабатывает здесь. Но пока что Дионисий ликовал. Лицо его сморщилось, пошло лучами радости от глаз и носа, руки выделывали движения, как бы обхватывая шары. Потом счастье кончилось, и Дионисий, скрюченный, сел у стены на корточках. Надо бы добавить, такое выражение лица он постепенно приобрел, глядя на Тами, но ему больше не предложили. А деньги были только у Стеллы. Он подполз, привалился к ее коленям, но она ему что-то сказала. Она оставила кошелек дома, я поняла. Он стал умолять взять дозу в долг. Она молчала.

Тами дала понять, что пора уходить. Стронулась, пошла в спальню. Гости начали расползаться.

Стелла поднялась, я за ней, и Дионисий вынужден был, все проклиная, идти за нами. Его ломало. Он бы накинулся с бранью и кулаками на Стеллу, но я мешала. Он долго кричал в их спальне, бушевал, потом побежал куда-то и не вернулся.

Наутро мне наступало время уходить. Помятая Стелла, укутанная в шарф, налила мне чаю.

Что ж, я решила. Та гора и тот монастырь, где живут в развалинах мальчик и девушка. Они-то там живут по каким-то своим причинам?

Пора к ним.

Тепловой удар, спасибо доброй Стелле, был передан мне недаром. Но, как говаривал мой названый брат по детскому дому, ты его помнишь, он погиб под электричкой ночью, пьяница Игорь, «Мне нет места на земле», это святая правда, для меня тоже.

Стелла ведь мне показала направление. Здесь две дороги на выход — туристы отсюда едут либо в аэропорт, либо туда, к высям.

Я трансмишировалась в поселок у подножия гор, побывала при консультациях, которые турфирма проводила с клиентами, кандидатами на восхождение к обители, — было сказано, что телефоны и всякая аппаратура из рюкзаков изымаются, с собой можно брать только еду и рекомендованные агентством лекарства, поскольку иногда случаются кровотечения из носа, головокружения, сердечные приступы. Собственные лекарственные препараты сдаются проводникам. Я уже знала, что места здесь повстанческие, режим пограничный, турфирма явно платит за девушку и мальчика властям, причем риск казни есть обоюдный, обе стороны могут оказаться на поле стадиона перед национальным матчем, в сидячем положении и с гриппозными масками на глазах, причем привязанные к стульям, которые также привязаны к кольям, вбитым в землю, а стулья расположены рядами, в шахматном порядке, и пришедший исполнитель, не видя лиц, просто пойдет по полю, осеменяя затылки пулями. Это есть в Сети.

Так что появление нового насельника в монастырских развалинах на горе, если о нем узнают, не будет одобрено внизу — и ни там, наверху, ибо как тебя примут постоянно живущие святые? То, что складывалось годами, та обязательная нищета в горной обители, те девушка и мальчик (надо полагать, непростые девушка и мальчик), они не могут подпустить к себе ничего чужеродного, на то надо делать смиренную скидку. И это еще не все. Есть сложности. И святые ли они? Или же они действительно те самые, долгожданные, основные и вечные, недаром ведь мне передалось послание девушки. Иначе бы я не получила импульса такой огромной силы, без которой в волнах океана нам было бы не справиться с весом ребенка. Так просто это не бывает.

Также я узнала, что представителям властей лень тащиться на гору, а вертолету там не сесть, и каждые два месяца мальчик и девушка под водительством проводников якобы сами сходят вниз, их фотографируют, снимают отпечатки пальцев, и они платят налоги за туристический бизнес. Таковы условия.

Конкуренты подозревают (в Интернете можно прочесть), что та турфирма сразу же, давно уже, нашла подставных, их привозят и спускают по вертолетному трапу на макушку скалы, рядом с монастырем, и они дальше идут своим ходом в поселок. Главная проблема, смеются конкуренты, что девушка скоро — года через три — превратится в бабу, а у мальчика вырастут усы. А дактилоскопия должна быть та же самая.

Те, основные, не выходят, не могут выходить. У них своя отработанная милость к пришедшим — внизу этим туристам, объясняя насчет местных обычаев, операторы продают заранее заготовленные белые полотенчики, и наверху святые повязывают их на шею владельца. Это потом на всю жизнь оберег.

Турфирма, продающая эти белые кашне, загребает бешеные деньги на монастыре, считают конкуренты. Но вредить боятся. Слава о святых среди местных очень уж велика, хотя без выхода в Интернет. Тут он запрещен (не для меня).

Инакомыслящим властям, представителям другой веры с самого рождения, плевать на эту славу. Но местные не выдают своих. Разве что под угрозой казни всей семьи.

Так что и это место сомнительно.

Если я устроюсь там, то придется обходиться без костра, значит, понадобится альпинистское снаряжение и какое-то топливо. Скорая когда-то увлекалась одним альпинистом, ходила с ним в горы, может узнать о новом оборудовании. После сообщений от нее я слетала в магазин, примерила костюм с подогревом (зашла в кабинку, надела, трансмишировалась), т. е. присвоила. Наконец, приземлилась ночью, не-

353

сколько раз трансмишировалась в развалины, вниз, наугад, оказывалась сплющенной в мелких пустотах, и наконец было найдено замкнутое пространство, довольно просторное, с каменным прочным сводом, с длинным лазом куда-то вверх, проверила — к расселине, трещине в скале. Обустроилась. Надо, чтобы никто не пронюхал. Но если все правда, то девушка и мальчик будут знать обо мне. Вопрос, как святые защищают свое место и защищают ли. Вряд ли. Туристов они терпят. Они знают, что мир так или иначе их в конце концов вычислит. Они тут уже пятьсот лет, по легенде, но проявились только недавно.

Главное: третий костер будет заметен сверху, по дыму.

Стало быть, без костра.

Притащила из того же магазина у Джомолунгмы поочередно спальник на пуху, алюминиевую посуду. Легкий обогреватель на батарейках взяла. Смена батареек раз в две недели при постоянном употреблении. Запаслась и батарейками. Взяла также таблетки для примуса. Воды два раза по две бутылки. Обтираться придется виски, надолго спускаться к бассейну нельзя. Да и там не умыться, только ковшик на цепи лежит на воде, то есть соблюдай полнейшую чистоту вокруг маленького водоема, наполненного за зиму. Такой себе буду Робинзон Крузо. Как они-то обходятся с человеческими проблемами, руки, правда, у них грязные. Но мягкие, нерабочие. Я поцеловала пальцы обоим. Они никак не реагировали, привыкли? И у них нет никакого мусора! Мои отходы, все эти пакеты, обертки и объедки, полтора кило, я оттащила в помойку альпинистского отеля в поселке. То-то местные мусорщики поразятся, найдя в дорогом пакете следы дерьма (выкинутого наверху, в первую ночь, с утеса, пардон за подробности, но пришлось трансмишироваться в ущелье и взять пакет обратно).

Нельзя оставлять следов. За мной охотятся...

Дождалась внизу, в турагентстве, последней экскурсии. Загримированная (рыжий парик, зеленые очки, шорты, майка, рюкзак) спросила, можно ли с вами на экскурсию. Запросили немереные деньги и велели одеться: штаны, куртка, шипованные ботинки обязательны. Хорошо, все приобрела у подножия одной горы в Непале. Прошла с паломниками весь путь, познакомилась с насельниками, принесла воды и тому и другой, поцеловавши им мягкие пальчики с грязными ногтями (но короткими!). Отдала им галеты и витамины. Спустилась вместе со всеми. Потом оказалась у девушки в келье. Ничего ей не объясняла.

Она тоже молчала, опустив вежды. У нее веки такие тяжелые, что иначе не скажешь. Я ей была не нужна. Не в том смысле что не интересна, нет, я ей была обыкновенная бытовая помеха. Может быть, она размышляла, как меня вытерпеть у огня, где уложить спать и чем кормить. Крыша в монастыре была только в тех двух местах, где жили святые.

Повалила метель. Я задала девушке задачку, исчезнув.

Попила воды, включила обогреватель, залегла в пуховой спальник.

Меня разбудил шум двигателей.

Я пробралась наверх, к смотровой щели.

Над монастырем завис вертолет.

Люди в форме были заняты делом — один висел на трапе, спускаясь на площадку два на два метра, двое других вели туда снизу девушку и мальчика. Они их вели очень медленно, как под водой, это было заметно. Хотя святые не сопротивлялись, их глаза были опущены.

Я смоталась вниз за своим инструментом. Ничего особенного, легкий резак на нейтронах. Похищено из одной частной лаборатории, финансируемой тремя подпольными банками. Опытный образец. Якобы НИИ, на самом деле лавочка по созданию новейшего инструментария для скорого уничтожения всего живого. Им же, этим резаком, было раскурочено все оставшееся в том институте. Ночному дежурному, бедному студенту, заранее добавили в кофе ликвиданта памяти и ночью по телефону вызвали наверх, привезли на вокзал побритым налысо и в очках с сильными диоптриями, а там посадили в экспресс дальнего следования, где он, очнувшись через пять часов, пожелал спрыгнуть на ходу. Затем, снятый с поезда на первой же остановке, он поступил в психиатрическую лечебницу ввиду полной потери памяти. Бандиты, владельцы уничтоженной лаборатории, сочли его погибшим и ничего не заплатили родным. Это сделала я, вынув у самого умного из сейфа все содержимое. Мать пропавшего нашла под диваном чемодан с деньгами и ничего никому не сказала. Затем, через год, он вспомнил свой адрес, мать забрала сына и уехала с ним я знаю куда.

Итак, взявши тот ихний резак, я оказалась вверху на скале, через пропасть от вояки в мундире с погонами, который спускался с вертолета по трапу. Трансмишировалась, повисла на трапе у самого брюха вертолета. Уходя, перерезала трап. Вернулась на свой уступ в скале. С воплем офицер рухнул в пропасть. Тот, кто держал мальчика, отскочил от летящего сверху трапа и тоже упал вниз. Мальчик сделал шаг в сторону, и вовремя. Канатами стегануло по площадке. Тот, что вел девушку, отпрыгнул, но не успел. Вершиной трапа его смело в пропасть.

Девушка и мальчик исчезли.

Вертолет, болтающийся над скалой, облетел окрестности и, видимо, сообщил о катастрофе, унесшей всех пятерых. То есть и арестованных.

Но им этого было мало. Им всегда нужны трупы!

То есть на другой день притарахтел другой.

Ну, разумеется, его постигла та же участь — спустили трап, по нему начал корябаться вниз толстый начальник (солдата пустили первым), и оба вместе с лестницей рухнули мимо площадки, в пропасть, и звенья летящего сверху трапа тоже попали в цель.

Надо было совершить что-то типа чуда, чтобы вояки испугались и уверовали, и я ночью выбила на пологом склоне скалы круг со стрелкой в другую от монастыря сторону. Типа «идите отсюда».

Военные чудес не приемлют, но в них сильны суеверия.

Я прочла известие, что два вертолета с солдатами и начальством (видимо, посланные к монастырю) перелетели через границу во вражеское государство. Поскольку их отправили сюда, на верную кару богов.

Наутро я оказалась в турбюро, где бледный оператор по-английски объяснялся с военными.

— Семеро из-за вас, из-за них погибли, — орали они.

— Мои не виноваты, — твердил он. — Трап оборвался, и все.

— Трап был отрезан как лазером, — стояли на своем вояки. — Мы обследовали с экспертами.

— Они святые, у них нету лазера. Может быть, это было чудо?

— Чудо выглядело бы как несчастный случай, — отвечал один, по речи судя, военный эксперт, — а отрезано было ножом, ручаюсь. И потом, они, ваши те, тоже погибли.

— Как это, ножом в воздухе? — заинтересовался оператор.

Начальник вмешался:

— Кто теперь полетит туда? Все отказываются забирать погибших даже под угрозой расстрела. А мы должны предоставить их трупы и святых тоже.

— Это не мои виноваты, — как мог, сопротивлялся туроператор. — Они мухи не обидят. И они погибли же.

— Вы полетите в следующем вертолете и первым повиснете, за вас будут держаться остальные. Предъявите все трупы.

— Да их уже птицы расклевали, кости растащили! И я не военнообязанный и гражданин Казахстана! — отчаянно сказал бедняга.

— Мы сообщим вашим, что вы сорвались в пропасть. И пошлем вас домой в цинке.

— Они же знают, что зимой я закрываю агентство, у меня уже билеты забронированы на завтра! Я не идиот, тащиться в горы в эту пору!

И он набрал номер на своем телефоне.

Вояки тут же скрутили несчастного, подняли на манер бревна и стали тащить к выходу бьющееся, как рыба на крючке, тело.

Я сделала что могла из-под стола, на них затлели брюки. Ноги должны были быть обожжены на уровне колен.

С дикими воплями они уронили свою жертву и выскочили вон.

Менеджер тут же позвонил домой и все рассказал, половину приврав.

Затем он кинулся к сейфу, набрал полагающийся код, но прислушался и выскочил в другую дверь. В таких учреждениях неплохо иметь запасной черный ход в какую-нибудь харчевню.

Никто, однако, больше не вошел.

Я без ухищрений просто отворила дверцу сейфа, вытащила оттуда примерно килограмм долларов (резак весил полтора) и исчезла вовремя: дом через минуту был снесен с лица земли снарядом.

Ночью я оказалась на уже привычной скале над монастырем. Костры горели, и напрасно. К нам приближался самолет. Но ни одна бомба не разрушила монастырь. Самолеты, желающие точно попасть в небольшую цель, снижаются, я трансмишировалась туда в хвост и вскрыла своим резаком внутреннюю обшивку с проводами. Самолет дотянул до городка и там рухнул со своим нерастраченным бомбовым грузом. Зарево осветило тучи.

Погибшие святые что-то тут охраняют, решили все.

Вояки теперь всерьез задумаются о чудесах. Присвоют насельников монастыря и будут пытаться их использовать в своих целях. Не выйдет.

Расклад у этих двоих обычный, не раз описанный. Девочка забеременела в пятнадцать лет от святого духа. Люди не поняли, понимание приходит только во время родов, когда повитуха видит, что ребенку не выйти, есть преграда, тонкая, но есть. Родные беременной сходили с ума, девочка сначала пыталась сама понять, что с ней происходит, и оправдывалась, а потом замолчала, делать было нечего, живот вырос. Отец девочки, скорее всего, собирался убить их обоих, мать и младенца (царь Ирод в квадрате, в семье такое бывает). Видимо, мать могла ее выгнать заранее, опасаясь резни. Дорога привела беременную в заброшенный монастырь. И (думаю я) мир уже был готов, чтобы принять ее. Кто-то присутствовал при родах, Господь здесь не мог ее оставить. И молва о девственности поползла. Сама она ведь молчала. Ребенок тоже. Я все время размышляю на эту тему.

Судя по всему, эти двое не взрослеют. Не говорят. Их контакты не словесные. Их силы не имеют веса и формы, они тоже невербальны, только в случае необходимости они передают посыл центру речи. Вот здесь тот же случай. Когда-то те, первые, исчезли, завершив свой путь в муках, предполагаю я, но снова появились, и уже не в первый раз. Люди ждут и находят новых.

Когда я оказалась наверху, там стояла, как всегда, полная тишина. Я поговорила со Скорой, выяснила, что власть тут нерушима (она посмотрела), то есть следует ожидать репрессий. Они будут бомбить.

Скорая — врач скорой помощи и по совместительству хакер, вскрывающий все что есть в компьютерах мира.

Я, как ты знаешь, — международная аферистка и воровка в поисках справедливости.

Если предположить, что наш мир и вообще Вселенная — это мысль (утверждение великого Иммануила Канта), то да, изначально существовало только одно слово, и слово было Бог, т. е. Бог было именно слово, невербальное слово, т. е. мысль, которая стала образом, — и мы и все вокруг есть просто вымышленная, мысленная картинка, компьютерная игра, которой занят был Создатель, а он может вообразить себе вообще что угодно, ярко так представить и свет, и воды, и твердь, не говоря уже о персонажах —

как в детстве я буквально видела целые фильмы с собственным участием, — и ежели это так, то необходимо вести дальше эту игру. Тут уже все есть, вражеские воины, мое нейтронное оружие, убийственное и бесшумное, а также святые, которых надо спасти.

Стало быть, необходимо найти их Генштаб.

Скорая быстренько обнаружила их контору, компьютерный центр вооруженных сил, и переслала данные (т. е. сведения о количествах оружия и солдат, а также о планах мирового господства с помощью нового оружия, бомбы XXL) во враждебный Генштаб, а также выложила их спустя пять минут в Интернет. И повредила локальные, т. е. тутошние, базы данных военно-воздушных сил. Т. е. ни одного самолета с целью бомбардировки они послать в ближайшее время не смогут.

Наутро, когда я трансмишировалась к водоему и начала подъем с тяжелой бутылью, оп-па! Я увидела новых идущих вверх. Это были простые местные, старик и старуха, и они вели к монастырю кого-то согбенного, еле передвигающего ноги. Молодого. Они достигли развалин и, посадив своего больного, укутав его, стали разбирать завал — видимо, пытались найти вход к святым. Это не был последний поход с умирающим, чтобы оставить его в святом месте птицам, как принято в других горах. Они надеялись на исцеление.

Видимо, слава этих мест подпитывалась все-таки чудесами, подобными той силе, которую девушка передала мне через чужую руку.

Но они ничего не нашли. Быстро наступала ночь, поднялся ветер. Они даже не смогли развести костер, все гасло, и просто легли рядом со своим больным, грея его телами и своими тряпочками. Днем, когда я вышла и перебралась на соседнюю вершину, на стоянке уже никого не было, там валялись только принесенные вчера сучья, кровавые обглоданные кости и, в неглубокой расщелине, белел застрявший череп с длинными волосами, их шевелил ветер. То есть это, судя по всему, была девочка стариков... Птицы тут мгновенно уничтожают всю органику.

Мои святые были немые. Хотя не глухие — на внезапный хлопок (я проверяла) они реагировали. Стало быть, их немота была поправима — правда, в нашем детском доме для инвалидов по разуму с такими даже не пытались работать, диагноз поставлен, им, т. е. детдому и директору, пенсия капает. Туда же, к нам, ты помнишь, свозили и вообще странных ребят, задумчивых, так называемых паранормалов. Я к вам попала, потому что исчезала. В детском доме, куда меня определили, найдя на вокзале, то и дело все сбивались с ног, разыскивая новенькую, не явившуюся на обед или вообще ночевать. И только одна няня, Пашка, обнаружила у меня с обратной стороны наволочки, под подушкой, два телефона в магазинной упаковке, пакет чипсов и кусок пиццы. Пашка тут же взяла меня за плечо, отвела в подсобку, предъявила доказательства и сказала, что меня посадят в детскую тюрьму навсегда, но если я ей признаюсь, где все это взяла, то она меня не отдаст. Таким образом, я начала воровать для Пашки. В ювелирные меня не пускали, а она требовала золото, истязала меня, била в живот коленом, чтобы не оставлять следов.

И тут появился, ты помнишь, Учитель. Судя по всему, его к нам сослали. Он был одноногий, лицо в шрамах, я его боялась. Вскоре собралась, согнанная отовсюду, вся наша группа детей с серьезными отклонениями — он, судя по всему, уже поработал в разных детских домах для умалишенных, имел связи и действовал от чьего-то имени. Сам он не обладал никакой властью. Официально у него был кружок краеведения, он забирал нас по воскресеньям на целый день и уводил в окрестные леса. Левитация, подъем на пол метра, это было только начало. Я доставляла к костру пиццу, ты, как самый сильный мальчик, приносил два кило картошки (не больше, никогда не больше) — ты рассказывал, что всегда просил взвесить кило восемьсот, покупку клали в пакет, и дальше продавщица терла глаза, таращилась и ругалась матом (я однажды присутствовала при этом, якобы стоя в очереди с сумкой, куда тетка мне потом ссыпала яблоки, тоже кило восемьсот, и опять материлась, не видя перед собой никого). Пашка меня не оставляла в покое, требовала свое, и в мертвый час, когда она оставалась дежурить — воспитательницы в это время обедали, — я таскала ей то, что на рынке лежало на лотках, белье, сумочки (страсть к ним так у меня и осталась), дешевую бижутерию и все по мелочам.

Учитель исследовал наши возможности, учил всему, что узнал сам (после пыток и потери ноги он перестал трансмишироваться). Он, ни много ни мало, мечтал о мировом господстве нашей группы, о возможности влиять на экономику (с нашей подачи, для пробы, был инспирирован мировой кризис — одному сингапурскому клерку мы попутали в компьютере цифры, а он был игрок и не подозревал, что ставит такие суммы). Мы в своем детском доме довольно быстро приобрели каждый по компьютеру, то есть я их притаскивала один за другим из разных мест, небольшие, но мощные. Мы все стали хакерами. Скорая, кроме того, изучала медицину, неформально посещая лекции, я — языки, притом таскаясь по всем мировым столицам. И тут грянул гром: меня удочерила немолодая пара, получившая русское гражданство за заслуги в области культурного обмена (подарили одному чиновнику якобы Ван Гога). Им дали квартирку в Ижевске. Они, правда, не сменили место жительства и продолжали базироваться в Альпах, в замке 13-го века. Там они были фон Анимы, тут — бывшие графья с двойной фамилией (у них был какой-то русско-германский троюродный дед), я так ее и не запомнила. Учитель отпустил меня, не отпуская. Я была с ним на ежедневной и многоразовой связи до самой его гибели. Собственно, всех нас разобрали по семьям. Пашка так плакала в присутствии фон Анимов, когда они наконец за мной прибыли, так меня крепко держала, что эти интеллигентные люди через переводчицу узнали, что она, оказывается, моя мать и родила меня от своего отца в двенадцать лет! Что это она меня якобы нашла оставленную на вокзале в пеленках, а на самом деле сама и бросила там, будучи тоже бедной сиротой, и потом следила за моей судьбой, устроилась няней в мой дом малютки и затем переходила в те детские дома, куда меня совали. Чудовищная ложь. Я как-то ранним утром (в Альпах было 5 утра) отвезла ее на операцию в гинекологию в Анапе, и она при мне давала данные для медицинской карты и сказала врачихе, что не рожала. Абортов семь. Короче, потрясенные и глупые Анимы взяли ее с собой в Европу как мою няньку. Там Пашку вскоре посадили по навету сестры графа фон Анима, эта тетя ни мне, ни Марье не доверяла и кончила тем, что порылась в ее чемодане и обнаружила несколько килограммов золотых изделий с бирками магазинов. Пашка меня не выдала, она только просила не отправлять ее в тюрьму на родину, а посадить в Швеции. Но Швеция отказала ей в тюрьме, а родина направила на зону в Коми республику. Оттуда она требовала, чтобы я ей таскала драгоценности, а то она меня предаст. А меня в ту пору отправили на воспитание в монастырскую школу во Франции, где я жила в каменной восьмиметровой келье, к которой прилагался садик с высокой каменной оградой, висящий над пропастью. В верхнем углу моей кельи имелась дыра, через которую меня могло наблюдать руководство в любое время дня и ночи. Но это не мешало мне навещать окрестные базарчики и, с добычей, Пашку, а также проводить время сна с тобой и со всеми нашими (на кровати я создавала свое подобие и оттуда же, из-под одеяла, исчезала).

Пашка за золото откупилась от зоны, ей пересмотрели срок, и она приобрела себе дом в Анапе, в поселке Витязево. Летом жила в сарае (свой душ и сортир рядом), сдавая жилье покоечно и покомнатно, и это было для нее самое то: она выросла в крепкую хозяйку, каждая копейка и груша из сада, а также каждая банка вина из подвала (банку назад!) на счету: скромная миллионерша, занятая делом. Ну и у нее были жиголо-любовники, анапские гопники, наперьсточники с базара, которым вечно не хватало тысячи долларов, чтобы войти в банду. Они ее и убили, единственную мою родную душу, заинтересованную лично во мне. К моменту ее гибели я уже была матерью двух близнецов, якобы суррогатной матерью, а отцом оказался мой приемный папаша, Иоахим. То есть я по окончании школы явилась домой в замок, приехала восемнадцатилетней скромной оторвой в полном расцвете, бутоны и розы, стреляющие глазки (в угол — на нос — на объект), манера сидеть в своем обычном мини-платьишке, почти сползая с дивана, ноги врастопыр. На самом деле я уже прошла все огни, воды и медные трубы ночью в Анапе за сараем Пашки, где стоял мой топчан, якобы я люблю спать одна на воздухе. А в замке Иоахим, его болящая жена и таковая же сестрица, завтрак с салфетками. По решению семьи мне якобы ввели сперму отца, так как они нуждались в наследниках по крови, родилась двойня, два мальчика, их немедленно усыновили фон Анимы, а меня, истекающую молоком, отправили вон, учиться в Сорбонну. На самом же деле это было изнасилование, Иоахим за ужином налил мне вина, а что мне его вино после анапской водки, он подождал, пока все заснут, и пришел ко мне в спальню с ненормальной улыбкой, а я как раз собиралась трансмишироваться к дружку в Анапу. Пришлось его принять. Потом была эта комедия с искусственным осеменением. Мои дети, мои якобы братья, уже учатся в парижской Эколь Нормаль, один на философском, другой на театральном, и они вылитые Эдики. Эдик, помесь папы-армянина с гречанкой тетей Зоей из поселка Приморского, дал своим детям благородный профиль, орлиный нос, античный подбородок и гриву кудрей. Только ноги у Эдика были кривые и коротковатые, но у мальчишек ноги мои. Йоахим, троюродный Габсбург, был гораздо страшней, подбородок башмаком, правда, нос тоже крюком. Сейчас они с моей мамой Джулией покоятся на семейном погосте сразу за храмом 13-го века, всем правит 90-летняя сестра Иоахима, которая меня не признавала никогда и удалила из наследниц сразу, как только Иоахим с женой разбились в Альпах. Она доказала в суде, что усыновление мое было сфабрикованным, за деньги, даже посылала в Россию следователей, которые опять всех подкупили. Я, в свою очередь, сообщила тетке, что дети не графовы. Но она вскрыла могилу фон Анимов и по спилу с бедренной кости брата доказала, что мальчики свои. А то мы не знаем, что все данные продаются и покупаются. Ребята слишком породистые и красивые, анапские. Графы эти уже во многих поколениях поражают народы своими личиками (см. портреты Веласкеса).

Стало быть, я по-прежнему без семьи, без родных. Мальчишки мои вообще меня считают какой-то суррогатной теткой... Они не унаследовали мою паранормальность, и слава тебе, о Господи.

О Нем. Несколько моих паранормальных мыслей.

Как сказал в романе Итало Звево умирающий старик, я все понял! А врач сообщил его сыну: «У вашего отца начался отек мозга». Любимая книга учителя, «Самопознание Дзено».

Наш мир это мысль, сказал другой человек, Иммануил Кант.

Измышляя этот наш мир — как бы компьютерную игру, — Создатель, да простит Он меня, мигом все представил себе: космическое пространство с движущимися светилами, красиво и умно, затем земную твердь из пылевого облака, покрыв ее водной гладью, вообразил себе всякую живность и растительность невероятной красоты и изобретательности (чего стоят только две костные шестеренки в суставе у древней утки) — короче, забавлялся как мог, пока, полюбовавшись мужчиной шимпанзе, он не увидел, что тот передает окружающим только агрессию, похоть, боль, жажду и голод, усталость, страх, доминирование и даже некоторые социальные навыки (т. е. выгоняет из стада молодежь, претендующую на самок, своих сыновей, диких подростков, и они образуют в джунглях гомосексуальные группы, пока старшие из них и самые сильные не отбивают себе самок у старика и не основывают свое племя). Есть еще и счастье, но только после употребления спиртного (забродившие плоды) и наркотиков (листья коки). Однако шимпанзе далек от почитания Бога и вообще не в силах оформить мысль, в то время как обычный теперешний представитель народа на это способен и, в отличие от человекообразных, имеет речь и рабочие руки (остальное как у шимпанзе). И Создатель сделал себе Адама, существо прямоходящее и, наконец, с речевым аппаратом и со спобностью к творчеству, — то есть дал ему то, что хотел бы выразить сам. Создатель не может говорить и петь, он только мыслит. Гром из тучи и мелодии ветра, пение птиц и рев, гогот, лай, вой животных ничего не сообщают ни о Создателе, ни о том, что бы он сам хотел сказать. Только через человека наш Громовержец творит, пишет, говорит и рисует, только человек способен понять его и восславить. Построить ему городища, колоннады и храмы и, в христианстве, передать всю трагедию отца-сироты, теряющего единственного сына. Да, сыну нужна мать, отсюда Мария (не Ева).

Бывает, что эти саморазвивающиеся, богооставленные, компьютерные игры в земную жизнь (за ними только наблюдение свыше, без вмешательства, и вопли снизу «за что детей» остаются без явного ответа) — эти игры приходят к естественному финалу, к катастрофе всего глобуса, и последующее заселение планеты застает уже готовенькие залежи угля (когдатошние леса), нефти и газа (вся органика бывшей жизни, все помойки и свалки под прессом воды и наносов) и то, к примеру, что произведено самой планетой под влиянием расплавления пород (допущенное столкновение с небесным телом) — т. е. наличие руд и полезных ископаемых.

Господь, и Ты их прислал, спрятал, лишил, пока что, языка и взросления — и да, она его мать, ей 26, ему 10. Они молчат. Но люди уже поняли и ползут сюда за помощью. Видимо, не только мне была послана из ладони в ладонь и передана ее сила. Мальчик тоже невольно излучает спасение. Скоро это поймут самые заинтересованные — убийцы. Они будут тут. Начнут строить храмы, задаривать служителей во имя отпущения грехов. Любая религия стоит на Божьем наказании за содеянное, на видении ада. В конце концов, чтобы канонизировать и основать церковь, этих святых придется казнить.

Но я этого не допущу. Ты сам меня такой сделал, о Господи. Ты дал мне силы. Я не оставлю их, посланных Тобой на гибель.

Письмо Сердцу

Сердце, это было письмо не тебе, как я теперь поняла.

Мы с тобой, наверное, больше не увидимся.

Прощай. Я всех вас люблю.

Беттина фон Аним

Пожалуйста, подождите

Три путешествия,
или Возможность мениппеи

Маленькая повесть

*Заметки к докладу на конференции
«Фантазия и реальность»*

ПЕРВОЕ ПУТЕШЕСТВИЕ

Один старый человек очень хотел куда-то уйти. За свою долгую жизнь он и на море успел побывать, и в горах, которые особенно любил, и на севере, и на юге. Но все это были скучные, обязательные поездки — заранее покупался билет, жена собирала вещи, и путешественники приезжали по точному адресу и уезжали в назначенное время.

Как-то раз рано вечером, когда летнее солнце уже скрывалось за домами, а вся семья где-то там, за городом, села пить чай в маленьком доме — наш старый человек тоже собирался ехать к ним на дачу, — итак, вдруг в потолке открылся квадратный люк, как будто он всегда там был и вел на чердак. Старый человек не испугался, а обрадовался, поставил стул на стол, забрался наверх и, подтянувшись, залез на чердак, в темное, сухое и высокое пространство. То есть он понимал, что это невозможно — наверху, на шестом этаже, жили люди, которые вечно топали, перекрикивались и ночами заводили музыку...

ВТОРОЕ ПУТЕШЕСТВИЕ

...повторяла я про себя, идя вверх по узкой древней улице города Н.

ПЕРВОЕ ПУТЕШЕСТВИЕ

...но теперь тут старого человека встретила тишина, высоко во тьме угадывалась крыша, а вдали сияло что-то — окно или открытая дверца.

ВТОРОЕ ПУТЕШЕСТВИЕ

...и еще я думала о том, насколько странной выглядит моя собственная нынешняя поездка сюда, в этот незнакомый маленький город Н., который привиделся мне вчерашней ночью на шоссе, когда некто Александр, широко размахивая обеими руками, вез меня на своей машине по извилистой горной дороге. Это было

ТРЕТЬЕ ПУТЕШЕСТВИЕ

Александр смеялся, рассказывал какие-то истории, бурно жестикулируя. Кажется, речь шла о том, какой он хороший водитель. Я сидела рядом с ним (так называемое место смертника) и размышляла, довольно тупо, о том, что еще секунда, и мы с ним и с его очень взволнованной женой, которая со смехом поддакивала своему мужу с заднего сиденья, еще секунда — и мы окажемся на дне темной пропасти, которая угадывалась за мелькающими сбоку огоньками заграждения.

Это маленькое расстояние между жизнью и смертью видится человеку в редкие минуты его жизни. Даже когда он подозревает, что есть шанс попасть в авиакатастрофу или, например, отравиться, и в его мозгу возникает яркая картина последствий (вплоть до похорон), даже тогда он редко сворачивает с пути, сдает билет или выплевывает в тарелку кусок жареной рыбы фугу, которую ему подали в японском ресторане.

Мне очень хотелось сказать моему веселому шоферу, что я больше не хочу ехать в его машине.

Но как это сделать? Не следовало его обижать, тем более что другой возможности вернуться в гостиницу не было, этот Александр любезно согласился подвезти меня из приморского ресторана, где был шумный праздник, обратно в наш отель, — мы жили там все вместе как участники конференции под названием «Фантазия и реальность».

Собственно говоря, я сразу увидела, что он сильно пьян и возбужден, как только мне на него указали. Он стоял у своей машины какой-то темный, оскаленный как собака. Как осужденный на казнь. Лицо его было искажено гримасой гибели (складки от носа ко рту, безвольно повисшая нижняя губа).

Была еще одна возможность, попытаться взять такси. Но где оно тут, в этом городишке в час ночи, и потом, до нашего отеля километров сорок. То есть довольно большие деньги. Нас здесь только кормили и содержали в тепле, как подопытных животных, а также оплатили нам проезд, всё.

Как каждый нормальный человек я, стало быть, не сдала свой билет на самолет и не выплюнула подозрительную рыбу фугу на японскую тарелку.

И вот этот жуткий путь, мелькают огоньки, водитель не касается руками руля и кричит о том, что никогда не попадал в автомобильные катастрофы, а жена повторяет с заднего сиденья: «Да, Александр гениальный шофер!» Мне очень хочется возразить, что гениальными шоферами набиты все кладбища мира, но я молчу.

Мы находимся в стране великих писателей (правду сказать, в каждой стране есть свои великие писатели), и я вдруг думаю, что — весьма возможно — погибнув на этом шоссе, я окажусь в некоей новой «Божественной комедии», и там, в сумрачном свете Лимба, в круге первом, но вовсе не на сияющем зеленом холме, а попроще, в писательской столовой на чердаке какого-то деревянного дома (туда надо подниматься по широкой лестнице), и там сидят за столиками Данте, Боккаччо, Буццатти, Толстой, Чехов, Джойс, Пруст. У нас в России есть такие дома творчества. И в них действительно встречаются за столом разные писатели, и новенькому в таком месте приходится на первых порах довольно тяжело.

И вот я, рухнув с Александром в пропасть, окажусь в этой писательской столовой, и свободное место будет только за столом, где сидят вместе Толстой, Чехов и Бунин. Я подойду, а они на меня уставятся, особенно будет недоволен Толстой... Да и те двое...

Смешные, конечно, мысли возникли тогда у меня, а вслух я сказала, что боюсь, когда водитель не касается руля. Да еще ночью, да еще на такой скорости, да еще на горной дороге. Я не сказала «да еще и такой пьяный».

Может быть, перспектива ужина за одним столом с неприветливыми, хмурыми русскими классиками мне, кандидату на тот свет, представилась не слишком привлекательной.

— Оу! — воскликнул Александр с громким, довольным смехом. (Его глупая жена поддержала его смех, а мы неслись почти среди облаков, темных ночных облаков, виляя на мокром шоссе туда-сюда, как собачий хвост.) — Ооу! Вы еще не знаете, как я умею водить!

— Эйех! Охохо! — взвизгнула его бешеная жена, и наша собака опять резко вильнула могучим хвостом, и я невольно крепко прижалась к горячему боку водителя, чтобы через мгновение оказаться прижатой к дверце.

Александр делал все, чтобы я, не теряя ни секунды, оказалась в компании Чехова и Толстого. Я совершила еще одну попытку спастись:

— Ой, мне нехорошо, я выйду! Остановите! Я пойду пешком!

— Ой! Сейчас-сейчас мы приедем, осталось двадцать минут всего! — завопил буйный Александр, размахивая руками, как испанская танцовщица с кастаньетами. Как же он поворачивал руль? Неужели он управлял машиной так же, как это делают в цирке клоуны на одноколесном велосипеде? То есть усилием воли?

Я представила себе, как трудно будет родным получить мое тело оттуда, из пропасти, и как сложно будет отлепить меня от Александра.

Мы опять вильнули, и я поочередно присосалась сначала к Александру, потом к боковому стеклу. Я посылала родным и любимым прощальный привет, летя в темных небесах. Я воображала себе, однако, почему-то рай. Рай в той простой форме, которая много раз была уже изображена, допустим, маленькими голландцами: овечки, олени, кусты, реки и горы в кудрявых деревьях — и ни одного человека. Внизу подпись: «РАЙ».

Как это, погодите (ПЕРВОЕ ПУТЕШЕСТВИЕ): один старый человек очень хотел куда-то уйти.

Я ведь еще не написала это!

За всю свою длинную жизнь он и на море побывал, и в особенно любимых им горах, и на севере, и на юге. А я это не написала! Не успела!

И теперь (ТРЕТЬЕ ПУТЕШЕСТВИЕ), летя в кромешной тьме при взрывах дьявольского хохота моего подозрительно загорелого и очень пьяного водителя, а также лохматой как ведьма его жены, я подумала о великом Данте, о его остроумной идее разместить своих врагов сразу в аду!

Этот жанр называется «Мениппея», рассказ, действие которого происходит в загробном мире.

И это тот доклад, который я, видимо, тоже уже не успела прочесть на конференции «Фантазия и реальность»!

И, летя на предельной скорости в ночной тьме по горному шоссе, быстро приближаясь при этом к недовольному Толстому и Чехову, я думала: какой роскошный это жанр, мениппея, мениппова сатура!

Какой это роскошный жанр, что автор в письменном виде отомстит всем врагам, изобразив их в аду, превознесет своих любимых и сам при этом безнаказанно останется парить над миром как пророк.

Но, поскольку наша конференция «Фантазия и реальность», созванная, по-моему, с одной исключительно целью — заполнить этот пустующий зимой отель — посвящена как раз теме фантазии, то мне будет позволено здесь поговорить о каком-то одном аспекте мениппеи, о проблеме перехода из реальности в фантазию.

ЖАНР МЕНИППЕИ
Будущий доклад

Я бы назвала этот переход как-нибудь просто, трансмарш. И я бы предположила, если бы осталась в живых (тут я снова поздоровалась с дверью, с лобовым стеклом и затем с Александром), что тип трансмарша может быть разный.

То ли это действительно переход, явное для читателя действие (как в «Божественной комедии» Данте), явный трансмарш, то ли все происходит совершенно незаметно для читателя, и это трансмарш тайный.

Допустим, герой (а с ним и читатель) давно уже находится на том свете, но еще не подозревает об этом. Вот мы — мы простодушно мчимся, виляем, как тяжелая нижняя часть танцора, исполняющего старинный танец твист. И так же простодушно мы не понимаем, что давным-давно уже взорвались, ударившись о скалы там, внизу, и гром и вспышка света, дым и гарь, запах паленого уже разнеслись по ущелью.

Но мы мчимся, едем, приезжаем в свой отель, разбредаемся по номерам, принимаем душ как живые люди, ложимся в постели, читаем на ночь журнальчик или смотрим телевизор, а уже в пять утра к нам в номера беспрепятственно, открыв дверь запасными ключами, войдут люди и, не обращая внимания ни на какие возмущенные возгласы, начнут просматривать и собирать наши разбросанные вещи, отвечать на вопросы полицейских, искать наши паспорта...

— Вы что, вы куда! — завопит разбуженный Александр, но его никто не услышит, и сквозь него, который вскочил и ищет свои трусы, прошел и сел на кресло полицейский, а дежурный сквозь жену Александра поднимает ее подушку, проверяя, не осталось ли там чего...

Это как раз второй тип переходного периода в мениппее, тайный трансмарш.

Если только это будет мениппея, а не простенький рассказ из американского сборника фантастики.

ТРЕТЬЕ ПУТЕШЕСТВИЕ

Снова серия поцелуев: боковое окно — Александр — тоже окно. Энергичный кивок в сторону лобового стекла, это Александр показывает свое умение тормозить.

Продолжаю составлять мой будущий доклад в экстремальной обстановке возможной мениппеи.

ЖАНР МЕНИППЕИ
Будущий доклад (Тезисы)

1. Существует такой вариант: читатель понял, что переход (трансмарш) совершен, герой уже ушел в загробный мир, а герой все никак не догадается (как в вышеописанном случае).

2. Или герой уже догадался и испугался, а читатель еще не догадался, но уже боится.

3. Или автор прямым текстом говорит о трансмарше (В «Божественной комедии» Вергилий сразу сообщает Данте: «Я не человек, я был им» и дальше: «Иди за мной»).

4. Бывает и хуже — читатель ничего не понял.

Но самое замечательное — что можно смешать все типы трансмарша, и тогда вас поймет только очень тонкий и умный читатель (не тот, из пункта № 4 «Тезисов»). То есть повествование начинается на этом свете, но безо всякого объявления вдруг оказывается на том. Нечто в роде путешествия, нормального путешествия. И все нормально заканчивается. Все живы. Герои приехали куда стремились — но вот беда, страна очень странная, люди все одеты в белые хитоны, ничего не едят и только водят хороводы... Причем временами отталкиваются от предметов и летают.

Это такая игра с читателем. Повествование-загадка. Кто не понял — тот не наш читатель.

Но кто понял — — — О читатель, который все понимает!

ТРЕТЬЕ ПУТЕШЕСТВИЕ

Какой странный у нас слалом — все вверх и вверх, вжжик! Вжжик! (Привет, дверь! Прощай, дверь, привет, Александр!)

— О, за нами кто-то едет! А ну дай им в морду, Александр!

Меня вдавливает в спинку сиденья, как космонавта. Мы идем вверх крутыми зигзагами.

Хорошо, что на этом ночном мокром шоссе пока что все едут в одну сторону, от моря. И никто не догадается помчаться ночью от отеля к морю! Тогда бы точно это был уже лобовой таран, исследуемый нами жанр и трансмарш!

— Александр! Этот Шумахер отстал! Фак ю! «Формула один»! — кричит сзади пока еще не вдова.

— Оу йес! — вопит водитель, маша обоими кулаками в воздухе, в пятидесяти сантиметрах над рулем.

ОБРАЩЕНИЕ К ЧИТАТЕЛЮ

— О мой читатель, — повторяла я, трясясь и временами прыгая в стороны, как жрец религии вуду, находящийся в трансе, — о мой читатель! Я еще в самом начале своей литературной деятельности знала, что он будет самым умным, самым тонким и чувствительным. Он поймет меня и там, где я скрою свои чувства, где я буду безжалостна к своим несчастливым героям. Где я прямо и просто, не смешно, без эпитетов, образов и остроумных сравнений, без живописных деталей, без диалогов, скупо, как человек на остановке автобуса, расскажу другому человеку историю третьего человека. Расскажу так, что он вздрогнет, а я — я уйду освободившись. Таковы законы жанра, который называется новелла.

И свои жуткие, странные, мистические истории я расскажу, ни единым словом не раскрывая их тайны... Пусть догадываются сами.

Я спрячу ирреальное в груде осколков реальности.

(Но мне, честно говоря, долго пришлось ждать своего читателя. Меня запретили сразу, после первого же рассказа! Моя первая книжка вышла спустя двадцать лет.)

ТРЕТЬЕ ПУТЕШЕСТВИЕ

(Неожиданный поцелуй в плечо Александра.
Грубый поцелуй в дверцу.)

Да, я могла бы прочесть свой доклад, если бы мне не встретился этот кошмарный Александр, у которого была одна заветная мечта — участвовать в «Формуле 1» — и эта мечта осуществлялась только ночью, в дождь, в пьяном виде и по горной дороге! И зимой! Такой сложнейший вид спорта!

Он ездил в специально ухудшенных условиях плюс без рук, как ребенок на велосипеде, плюс без скафандра. Он, видимо, презирал водителей «Формулы 1». Днем, на хорошей трассе, да с механиками, да на болиде, который стоит миллионы долларов! Это каждый дурак может!

Он искал своих ценителей, непризнанный гений, и его жена вслух восхищалась им.

Это была, видимо, их маленькая тайна, ночные гонки.

ОБРАЩЕНИЕ К ЧИТАТЕЛЮ

Ну что ж, я их понимаю — в литературе я тоже не пользовалась ничем, никакими подсобными средствами, выскакивала на опасную дорогу и гнала вперед на дикой скорости, пугая своих случайных пассажиров (вас, читатели!).

ТРЕТЬЕ ПУТЕШЕСТВИЕ

И вдруг на повороте шоссе, на той, дальней стороне огромной пропасти, там вдруг мелькнул туманный, светящийся, сонный городок — он лепился вокруг скалы, и плоские крыши, как черепица, наслаивались друг на дружку, и выступали из тьмы арки с колоннадами, ворота, узкие переходы, крутые лестницы, храмы со шпилями, и все венчал высокий замок с башней наверху и с мощным прожектором. Город был как кружево старинного чайного цвета, он мелькнул на фоне темного, бархатного неба и скрылся за поворотом (вжжик!).

— Что, — закричала я. — Мне надо! Срочно! Стойте! Это что было? — Александр пожал плечами. — Сколько километров до отеля?

— Еще пятнадцать! — маша руками и ногами, крикнул Александр, и я опять тесно к нему прижалась, как сирота на похоронах, но только на секунду. Потом я столь же бурно пожаловалась дверце. Видимо, так нерегулярно качало пассажиров в тонущем «Титанике».

Затем прошла ночь, и утром за завтраком я кисло поздоровалась с Александром. Он выглядел тусклым, бледным, и он меня почему-то не заметил, прошествовал рядом как мимо пустого места. Жены не было с ним.

В зале, куда я вошла, завтракало несколько человек, и они тоже не ответили на мое приветствие, правда, довольно тихое. Жужжали свое.

Я налила себе кофе, но пить почему-то не стала.

За окнами погодка была тусклая, моросил еще вчерашний дождик.

Я вернулась из ресторана в номер, где все оказалось мгновенно убранным и выглядело как вчера вечером, когда я ввалилась сюда после страшного ночного путешествия и плюхнулась на гладко застеленное ложе.

Горничная так быстро все убрала! Впечатление было, что я здесь и не ночевала!

ВТОРОЕ ПУТЕШЕСТВИЕ

Спустя час я уже ехала в местном синем автобусе в сторону моря. Где-то там, на пятнадцатом километре от отеля, должен был находиться мой волшебный ночной город, который вчера так туманно сиял на фоне темных небес. Я заняла хорошее место у окна. Так удобно ехать куда-то в даль и на ходу сочинять.

ПЕРВОЕ ПУТЕШЕСТВИЕ

Итак, один старый человек очень хотел куда-то уйти...

ВТОРОЕ ПУТЕШЕСТВИЕ

Этот город, его арки, зубчатые стены, храмы, башни, колоннады, вчера он медленно вращался вокруг скалы, заворачиваясь винтом, увлекая внутрь своей воронки, я туда еду, рассказывая сама себе –

ПЕРВОЕ ПУТЕШЕСТВИЕ

Как будто бы один старый человек очень хотел куда-то уйти. За свою длинную жизнь он побывал и на море, и в своих любимых горах, и в степях, и на севере, и на юге, но все это были скучные поездки, предназначенные для семейного отдыха, заранее покупался билет, жена собирала чемоданы, сумки, путешественники приезжали по точному адресу и уезжали в назначенное время.

Как-то раз рано вечером, когда летнее солнце уже клонилось к горизонту, а вся семья где-то там, за городом, села пить чай в маленьком доме — наш старый человек тоже собирался ехать к ним на дачу, — как вдруг в потолке открылся квадратный люк, как будто он всегда там был и вел на чердак.

Старый человек не испугался, а обрадовался, поставил стул на стол, забрался наверх и, подтянувшись, залез на чердак, в темное, сухое и высокое пространство.

То есть он понимал, что это невозможно — наверху, на шестом этаже, жили люди, которые вечно топали, перекрикивались и ночами заводили музыку.

Но теперь тут была тишина, высоко во тьме угадывалась крыша, а вдали сияло что-то — окно или открытая дверца.

Старый человек пошел на свет и обнаружил там прорубленную в крыше неровную сияющую дыру, в нее свисали длинные сухие нити.

Человек осторожно вылез и оказался на большом лугу, который шел до самого горизонта, и приходилось стоять по колено в цветах.

Оглядевшись, человек посмотрел себе в ноги и увидел какую-то небольшую нору, типа кротовой. Она медленно осыпалась и на глазах затягивалась травой.

Как-то вроде получалось, что там, внизу, под этой травой, остался большой дом, улицы, провода, потоки машин, летний вечер пятницы, заходящее солнце, множество людей.

Там, на том же нижнем уровне, под травой, должна была, видимо, оказаться и вся семья старого человека, его бедные дети, его суровая жена и вечно обиженная совсем старая мама.

Но эта мысль как-то прошла мимо человека, чтобы уже больше не возвращаться. Он постарался отогнать, забыть ее.

Его очень заинтересовала теперешняя жизнь, ее высший уровень, этот луг, над которым стояло теплое, нежаркое солнце. Тут поддувал душистый ветерок с запахом зелени и сладкими ароматами цветов, кажется, что мелких гвоздик, — и этот простор радовал душу, он был виден до самого края земли, до каких-то лесов в синей дымке и даже до гор на горизонте.

И старый человек зашагал куда глаза глядят. Ему встретилось несколько низких плодовых деревьев, вишня с почти черными спелыми ягодами, широко раскинувшаяся слива, на ветвях которой плоды висели попарно вниз головой, как красногрудые попугайчики, а потом он увидел и яблоню с прекрасными белыми, чуть ли не прозрачными плодами, которые так и манили попробовать их. Но человек опасался, что где-то рядом окажутся хозяева, и им не понравится такое вольное поведение, и он поборол искушение.

Затем пошли кусты роз, диких старинных роз, и каждый цветок был похож на блюдечко белой пены, розовой в сердцевине, а из зеленых бутонов высовывались красные клювы будущих цветов.

Под кустом спелой малины человек увидел первое живое существо — сначала от испуга дрогнуло сердце, когда в тени что-то резко шевельнулось.

Но это оказался маленький зайчонок, который дернул ухом. Человек нагнулся и погладил это живое творение по спинке. Шерсть была прохладной и шелковистой, как у кота. Зайчик не испугался, не отпрыгнул, а вместо этого прижался к ноге человека и только что не замурлыкал.

Вдали, как оказалось, паслась олениха с детенышем, а в глубине этой пасторали, у блеснувшей воды, ни много ни мало как обозначилась длинная шея пятнистого жирафа!

«Попал в зоопарк, вот это да», — подумал человек.

Все подступало к глазам постепенно.

Проявились густые, кудрявые заросли, усыпанные крупными цветами, и пошла петлять зеленая река, в которой отражались ивы.

Ни единого местного жителя не было видно здесь, и старый человек поймал себя на чувстве страха и неудобства. Встретить в таких райских местах аборигенов — это почти точная гарантия, что тебя погонят отсюда в какие-то пустынные области, где земля голая и каменистая, где холодно и свищут ветры, метет снег и нет приюта.

Красивые места все распределены давным-давно, думал человек.

Однако никто из двуногих не появлялся.

Раньше, блуждая по лесам и полям вокруг своей дачи (у семейства имелся какой-то смешной, почти фанерный домишко, поставленный еще отцом-умельцем на клочке земли, а также почти японский по своим размерам садик, где все было поделено на грядки-посадки, где постоянно попадались под ноги шланги, ведра и тяпки для прополки) — блуждая в окрестностях, старый человек постоянно уходил от тесного семейного мирка, старался никого не видеть, но в своих скитаниях он частенько натыкался на таких же блуждающих людей, которые смотрели на него пустыми, чужими глазами, как бы отталкиваясь. Он сам, наверно, так же смотрел на них.

Из своих странствий старый человек обычно приносил домой диковинные камешки, которые находил в ручьях и на дорогах. У него был нюх, инстинкт собирателя, он умел обнаруживать древние окаменелости, отпечатки раковин и растений на совершенно неприметных серых камешках, иногда даже попадались хорошие большие экземпляры, и он волок их домой с трудом, на плече — но, когда он торжественно вываливал свой улов дома, то семья как-то не разделяла его восторгов, посмотрят из вежливости и разойдутся, куда опять эти булыжники... Дети, его мальчики, не разделяли любви отца к диковинам. Не удалось также и вызвать в них особой привязанности. Всему мешала жена, относившаяся к мужу как к школьнику, который не учит уроков. Старому человеку печально было в семье и жалко старую мать, которая бесконечно жаловалась.

Теперь он оторвался ото всех и был один, вернее, не один, потому что маленький заяц все не отставал от него, прыгал около ног клубочком, как котенок.

Единственное существо, которое когда-то любило старого человека безусловно, это был черно-белый кот Мишка, существо, подобранное в погибающем виде у помойки. У этого помоечного котенка была еще и ранка на ухе, и первая жена боялась заразиться, но болячку удалось вылечить, остался только шрам в виде полоски.

Кот Миша обычно ждал возвращения старого человека с работы как восхода солнца. Он спал всегда у хозяина под боком. Когда все смотрели телевизор, Мишка глядел на своего хозяина, как бы молясь, не моргая, вылупив свои желтые очи, и все это продолжалось часами.

Потом Миша исчез. Прошло лет двадцать. У старого человека уже была другая семья, а он все еще не мог завести себе нового кота. Он жил с уверенностью, что встретит Мишку.

Старый человек остановился и подобрал зайчонка, а потом дунул ему в мордочку и сунул себе за пазуху. Зайчик сразу угрелся, подобрал свои холодные уши и лапки и, видно, заснул. Это был не кот, чтобы мурчать, но от него шло тепло. Так вот, бывало, засыпал у него за пиджаком Мишка, взятый на прогулку.

Мишка однажды пропал, когда старый человек — тогда еще вполне молодой — приехал домой после долгого отсутствия. И тут же нужно было, положив вещи, срочно бежать на работу.

Мишка тогда помолился у ног своего хозяина, потоптался и прыгнул к нему на колени. Тут же он замурчал, закружился, прилег, блаженно закрыв глаза, но его сняли на пол. Больше его никто не видел. Видимо, сильно соскучившись, кот выскочил из дома вслед за своим божеством, побежал вдогонку, отстал и заблудился.

Старый человек долго искал Мишку вместе со своей дочерью.

Она, теперь уже совсем взрослое существо со своими детьми, а тогда небольшая, день и ночь плакала по коту, и вдвоем с отцом они вешали объявления на домах и остановках, ходили по квартирам.

Однажды, поздно вечером, испытывая привычную тоску в груди, старый человек (тогда еще не старый) вдруг почувствовал, что что-то кончилось, оборвалось. Боль отпустила, страх за Мишку отпустил. Человек понял, что Мишки больше нет на свете, его страдания прекратились. Он уже не голодает, не плачет, не зовет, его не дерут чужие коты, не преследуют собаки, ему не холодно. Всё.

Вскоре после этого его жена ушла с детьми к другому человеку, мотивируя это тем, что ей надоело врать, надоело прыгать из койки в койку, а здесь ее не любят.

И та жизнь кончилась.

А теперь, шагая по короткой густой траве, среди высоких цветов, летним нежарким полднем, старый человек не чувствовал ни усталости, ни голода. Было хорошо. Все время открывались новые пространства, впереди его ожидали горы, обещая подъемы и панорамы, спуски и ручьи, а в ручьях обещая дивной красоты камни. Может быть, лиловые аметисты или прозрачные розовые агаты. Было весело и прекрасно, комок пуха за пазухой согревал душу.

И вдруг впереди, за деревьями, обозначилось что-то человеческое, прямоугольное. У природы не может быть таких форм. Это была крыша дома. Старый человек насторожился и хотел было обойти дом за километр по кругу, однако прятаться было еще хуже, получилось бы как воровство. Все равно найдут и попросят уйти в еще более грубой форме.

Надо же узнать, в конце концов, где мы с Иваном находимся, подумал человек. Он уже успел назвать зайца Иван.

Хотя в глубине души человеку как раз ничего не хотелось знать. Так иногда бессонной ночью не хочется смотреть на часы, чтобы не пугаться.

Он понимал, что что-то тут не так, что этот поход вверх, за потолок, не совсем умещается в рамки реальности. И не безумие ли здесь.

Тем не менее, как бы выполняя свой долг, человек поднялся на крыльцо и постучал.

Никто не откликнулся, пришлось постучать еще. Молчание было ответом. Дверь оказалась какая-то странная — без замочной скважины, без звонка. Только круглая ручка. Оставалось толкнуться и войти.

Внутри пахло солнцем, то есть нагретым деревом. Никакой пыли и паутины — но и никого в доме.

Круглый стол, лампочки нет, проводов тоже, однако есть стулья, икона в углу (человек поклонился и перекрестился). В углу тахта под пестрым ковриком, радио на тумбочке. Человек включил его.

Послышались громкие, торжественные звуки арфы. Музыка сразу заполнила дом.

Заяц за пазухой выпростал холодное ухо, стал им водить, прислушиваясь.

Человек испугался, что распоряжается в чужом месте. Он выключил радио. Затем пришлось выпустить проснувшегося Ивана на пол, и тот мгновенно ускакал в открытую дверь, присел на мгновение и исчез в слепящем солнечном прямоугольнике.

Упрыгал, дикий зверек. Человек опять остался один.

И тут в углу, на тахте, под пестрым ковриком, что-то начало подниматься бугром. Что-то росло, топорщилось, вытягивалось, извивалось.

Старый человек вздрогнул, отступил.

Из-под коврика выползло нечто небольшое, потянулось, и кто-то взглянул светлыми желтыми глазами на старого человека.

Кто-то, сверкая черным и белым, замер, как бы молясь, и вдруг стронулся с места и нерешительно пошел по коврику к человеку, и кто-то спрыгнул, приблизился и потерся усатой щекой о его ногу. И раздалось самозабвенное мурлыканье.

Человек погладил этого чужого кота неуверенно, а потом вдруг пальцы поймали на левом ухе твердую полосочку, шрам.

Человек присел на тахту. И кот Мишка, исчезнувший много лет назад, взошел к нему на колени, потоптался, покружился, лег и замер, напевая свою вечную песенку, одну на все времена.

ВТОРОЕ ПУТЕШЕСТВИЕ

Я продолжала свое движение в тарахтящем синем автобусе по горной дороге вдоль глубокого ущелья и вдруг увидела, что над пропастью в одном месте разрушено ограждение и толкутся люди, вверху стрекочет вертолет с тросом, протянутым вниз, тут же стоит машина скорой помощи и две с мигалками. Наш шофер быстро проскочил это место, как бы в испуге, а я долго выворачивала шею, высматривая, что там делает вертолет.

Кому-то страшно не повезло.

Все в автобусе прильнули к окнам на нашей стороне, а одна маленькая девочка прыгнула на мое сиденье и, святая простота, при этом буквально взгромоздилась на меня и так продолжала ехать. И ее толстая маленькая мама села рядом и ни словечка не сказала! Хорошо что они быстро сошли.

Однако — вот оно: впереди, в бледном свете полдня, под непроницаемыми, сияющими, как слои перламутра, облаками возник висящий над поворотом ущелья светлый городишко цвета старых кружев.

Но днем это уже было не то, не было темного бархата, на котором бы это сияло.

Я сошла с автобуса, причем шофер хлопнул дверцами прямо по мне, видимо, торопясь. Мне было не больно, но неприятно.

Неожиданно для себя я очутилась на узкой улице, вымощенной кирпичом, около двухэтажного дома, очень старого, с деревянными пластинчатыми ставнями и длинным балконом через весь второй этаж.

Ставни были прикрыты, но неплотно, а центральная балконная дверь стояла чуть ли не настежь, показывая внутреннюю тьму дома. Запустение окутывало его, хотя в трех левых окнах второго этажа горели сквозь деревянные планки огни. Я вошла под арку ворот неизвестно зачем. Там была укреплена железная вывеска: «Художественная керамика».

Я проследовала через эту сырую подворотню. Старый дворик, мощенный разными по величине булыжниками, таил в себе неожиданную роскошь — в глубине, в каменной стене, сложенной из огромных валунов, находился древний водопровод, львиная голова, как бы изъеденная проказой, из пасти которой вылезал обыкновенный водопроводный кран, как будто льва стошнило.

Под стеной стояли разнообразно хромые дачные стулья, составленные как собеседники, в кружок.

Здесь явно сиживали художники-керамисты, вон и тачка валяется на боку, заляпанная глиной.

Я живо представила себе бородатые лица, озаренные пламенем печи, и ступила в подъезд. Там, на стене очень старой лестничной клетки, опять висела вывеска «Художественная керамика» со стрелкой наверх.

Древние, выщербленные мраморные ступени привели меня на второй этаж. Слева оказалась высокая деревянная дверь с той же вывеской, но наглухо и давно, видно, запертая. На ручке, которой я коснулась, лежала пыль.

Можно также было пойти направо, там дверь была распахнута, но странная робость незваного гостя сковала мои движения. Где-то, видимо, горела печь, слышались голоса, а тут молчание, запах извести, тьма, мрачный коридор, неизвестно куда идущий, слева закрытые жалюзи окна, справа же (я уже ступила в этот коридор) зияла пустая, темная, побеленная комната без дверей. Из нее, как из пещеры, несло затхлой сыростью, отсутствием человека. Она робко приглашала зайти, светясь свежей известью, как каждая пустая комната — звала войти и поселиться навсегда. Но я шла дальше, во тьму высокого коридора, и следующая комната не заставила себя ждать — огромная, тоже выбеленная, но вместо передней стены у нее был барьер высотой примерно метр. Я видела сразу всю комнату, то место, куда надо входить, дверной проем без двери, и черную кучу тряпья у стены. Такие бесформенные кучи оставляют выехавшие жильцы. Но тут ведь недавно был ремонт!

Я нерешительно остановилась. Это уже совершенно не было похоже на путь в мастерские художников, где горит печь и продаются кружки и тарелки. От черной кучи тряпья несло мерзостью, тоской, даже ужасом. Эта куча казалась неожиданно живой и напоминала груду лежащих бродяг, неподвижно, бездыханно лежащих, сваленных каким-нибудь гнусным мусорщиком для сжигания.

Надо было бежать отсюда. Я повернулась — и вдруг краем глаза увидела, что куча шевелится. В этом темном, известковом, сыром пространстве что-то треснуло, как бы выпрастываясь, что-то затрепыхало как бы крыльями, как птицы, всполошилось и стало подниматься как выкипающая черная каша. Какой-то краткий приглушенный вой сопровождал этот трепет крыльев. Птицы завыли? Куча явно двигалась всей своей массой, и довольно быстро, за мной.

Я уже сбегала вниз по лестнице.

Так погибают, даже не узнав своей судьбы, от неведомых крыльев, воя и куч, и никто не услышит того единственного рассказа, который никогда не прозвучит, рассказа о последних мгновеньях...

Я бежала вниз по лестнице, волосы на голове шевелились, как бы заполнившись живыми муравьями. Тем не менее на моем лице, я это чувствовала, возникла деревянная улыбка, как у преследуемого вора, который залез в чужой дом и теперь делает вид, что это шутка.

Я выскочила, не оглядываясь, в каменный дворик с подавившимся львом, буквально метнулась в темную арку ворот, а за спиной нарастал многоногий топот, но легкий, изящный, нечеловеческий, как бы на когтях. Даже балерины хорошо топают на своих пуантах. За мной явно гнались какие-то тени.

Выбежав на улицу, все с той же улыбкой на лице, я быстро пошла налево по улице. Улыбка застыла, как судорога, и никак не отклеивалась. Шаги за спиной стихли. Однако вдруг раздался все тот же трепет жестких огромных крыльев, опять таки как бы снабженных когтями.

Я заставила себя оглянуться.

Белая и черная собаки нерешительно присели около подворотни, причем белая в черную крапинку неистово чесалась, ритмично трепыхая лапой и косясь глазом с вывернутым белком.

Вот это и был тот жесткий трепет крыльев.

Собаки в доме спали на куче тряпок, затем услышали мои шаги, проснулись, зевнули и зачесались неистово. Отсюда трепет крыльев с когтями и тонкий вой, собачья зевота до визга.

Кто-то, правда, там спал еще, в этой куче. Кто-то тяжело зашевелился в том тряпье, массивно заколыхался, вся эта куча и было то существо в полкомнаты. Оно меня не настигло. Оно осталось лежать в сумеречном свете известки, а я пошла вниз по улице, сопровождаемая двумя собаками, белой и черной. Белая выглядела очень красиво, большой мордастый далматинец в черную крапинку, как говорил один владелец такой собаки, «помесь коровы с березой» — а черная была дешевая невысокая дворняжечка с тонким намеком на таксу.

Справа тянулся темный, очень высокий дом типа собора, зарешеченные окна были только на первом этаже, я бы могла в них заглянуть, но они оказались закрыты изнутри плотными ставнями. В дом вела неожиданно низенькая дверь, почти незаметная. Такими бывают двери в подвал.

Когда мы с собаками шли мимо, вдруг из глубины, снизу, забил, как фонтанчик, поток детских голосов. Он вырывался из-под земли непринужденно, как будто так и должно быть, что дети бегают и играют там, внизу. Кому это пришло в голову, держать школу или детский садик в подземелье?

Пустой второй этаж в том странном доме и забитое детьми подземелье здесь...

Мы с собаками все шли и шли вниз, и оказались в конце концов ранним вечером, в сгустившейся тьме, на огромной террасе над провалом, над безмерной пропастью.

Там, под террасой, ничего не было видно, зато вдали, за десятки километров, на горизонте мелькали огни — мелкие как бисер цепочки фонарей вдоль каких-нибудь нездешних шоссе.

Вид был как с самолета.

Собаки сзади меня вдруг подняли дикий, с рычанием, лай. Они буквально захлебывались.

На кого они так лают? Я оглянулась. Оказалось, на меня. Обе, приседая, разрывались от бешенства. На морде белой явственно были видны обнажившиеся зубы. Черная вообще была представлена одними клыками, подрагивавшими во тьме.

Вот оно что: невдалеке стоял небольшой двухэтажный дом, и в нем открылась дверь.

Все правильно. Собаки сигнализируют хозяевам, что пришел чужой человек, и работают собаками. О том, что они пришли сюда со мной — ни звука. Мы чужие.

Помесь коровы с березой демонстрировала охотничий азарт. Намек на таксу был виден только когда прыгал вдоль белого тела далматинца.

Всю эту странную картину — безмерный котлован, как воронка вниз, дальние холмы с бусинками фонарей, лающую в два голоса березу — осенял свет довольно дородного уже месяца.

Из открытой двери вышла женщина, мелькнув в освещенном проеме белым фартуком, и крикнула псам:

— А ну хватит! Баста, баста!

Собаки, как бы говоря про себя «ну и ну» и «это добром не кончится», отступили и сели. Белая демонстративно стала драть себя лапой. А соседствующая темнота тоже поскреблась невидимо и с визгом зевнула. Концерт был окончен.

— Они бегают везде одни, — сказала женщина, подходя, — белая еще молодая, десять месяцев, ее не удержишь, а черная с ней заодно.

Собаки, поняв, что их осуждают, снова забились в истерике, как бы давая понять, что служат преданно и верно.

Хозяйка топнула на них:

— Сказано, хватит!

Мы поговорили с ней. Она позвала меня в дом и рассказала, что его построил муж, по своей первой профессии каменщик. Женщину зовут Санта. Дом, видимо, средневековый, внутри был как картинка из журнала — древние кирпичные своды, сияющий светлый паркет, старинный огромный буфет, стол с розами. В глубине шла винтовая лестница почему-то вниз, а справа в углу горел большой очаг. Перед ним в кресле недвижно, выпрямившись, сидел незаметный старик, из той породы старцев, чьи глаза отливают темным перламутром, как лужицы нефти, а кожа на лице напоминает старый книжный переплет.

Однако старик вежливо встал и поклонился, когда я вошла. Постояв, он с достоинством сел и замер.

— Мой отец, — сказала Санта. — Ему восемьдесят четыре года. А мамы пока что нет с нами.

Что она хотела этим сказать — «пока что нет с нами»?

Она пригласила меня что-нибудь выпить, но предстоял ужин в отеле, и я отказалась. Мы вышли снова к пропасти. Собаки, сидя рядом, неподвижно смотрели в туманную даль. Им было хорошо вдвоем.

Мне вдруг представилось, что здесь конец мира. Именно тут завершается все, в том числе и жизнь. А та мелкая светящаяся цепочка бисера на горизонте — это уже тот свет.

— Как у вас тихо, — заметила я.

— Даже слишком, — ответила Санта, немного помолчав.

Я стала говорить о том, что я счастлива, когда вижу людей, у которых все хорошо. Я рада, что есть на свете такие люди, они живут в покое и тишине, в прекрасном доме.

Санта посмотрела на меня с сомнением и что-то как будто хотела сказать, видимо, чем-то разбавить мои похвалы, но промолчала.

Женщина может ничего не говорить женщине, все понятно — любовь редко бывает счастливой, тем более любовь к мужу и детям.

Все это мы знаем, мы, хранители текстов чужих жизней, женщины.

Я попрощалась с Сантой и пошла вверх и вверх по кирпичным улочкам, под неяркими старинными фонарями, и черное и белое сплеталось впереди меня, помахивая хвостами. Ни единого человека не встретилось мне по дороге в гору, и только уже за собором, за ручейком детских голосов из-под земли, за тем домом, из которого я так поспешно вышла днем, на спуске я увидела женщину и немолодого мужчину (они стояли у открытой двери, готовясь внести в дом два ящика).

Я спросила у них, как называется то место, где живет красавица по имени Санта, у нее еще старый отец и муж.

Они недоуменно посмотрели друг на друга, и мужчина с сомнением в голосе сказал своей жене:

— С тех пор как погибла Санта, я все время слышу какие-то голоса, называющие ее имя... Как вспомню ее мать, когда она кричала: «Откопайте мою Сайту!»

— Не сходи с ума. Кстати, еще одно такое землетрясение, и нас тоже здесь не будет, — с ожесточением ответила женщина, внося в дверь свой ящик. — Но как же они так строили, что вся школа рухнула. Ноябрь, надо укрыть розы на могиле детей.

— Я уже был там сегодня, — ответил муж.

Видимо, между ними давно шли разговоры о переселении.

Уже исчезли, отстали белая и черная собаки, но все громче раздавался хор детских голосов, играющих где-то в глубине, под землей...

ТРЕТЬЕ ПУТЕШЕСТВИЕ

Я стояла вчера у того ресторана, где около машины меня ждал, оскалившись, пьяный и бесстрашный человек, ждал, чтобы устроить главные гонки своей жизни.

Я прощально помахала ему рукой... Он развернулся и уехал. Долгая глупая ночь стояла в приморском городишке, долгая, бессонная ночь. С неба капало.

* * *

Еще один жанр литературы — дорога, по которой мы не пошли.

СОДЕРЖАНИЕ

РАССКАЗЫ

СКАЗКИ

ПОВЕСТИ

Литературно-художественное издание

Петрушевская Людмила Стефановна

НАГАЙНА, или ИЗМЕНЕННОЕ ВРЕМЯ

Издано в авторской редакции

Ответственный редактор *О. Аминова*
Литературный редактор *Е. Толкачева*
Младший редактор *И. Кузнецова*
Художественный редактор *А. Дурасов*
Технический редактор *О. Лёвкин*
Компьютерная верстка *Г. Балашова*

ООО «Издательство «Эксмо»
123308, Россия, Москва, ул. Зорге, д. 1. Тел.: 8 (495) 411-68-86.
Home page: www.eksmo.ru E-mail: info@eksmo.ru
Өндіруші: «ЭКСМО» АҚБ Баспасы, 123308, Мәскеу, Ресей, Зорге көшесі, 1 үй.
Тел.: 8 (495) 411-68-86.
Home page: www.eksmo.ru E-mail: info@eksmo.ru
Тауар белгісі: «Эксмо»
Интернет-магазин : www.book24.ru
Интернет-магазин : www.book24.kz
Интернет-дүкен : www.book24.kz
Импортёр в Республику Казахстан ТОО «РДЦ-Алматы».
Қазақстан Республикасындағы импорттаушы «РДЦ-Алматы» ЖШС.
Дистрибьютор и представитель по приему претензий на продукцию,
в Республике Казахстан: ТОО «РДЦ-Алматы».
Қазақстан Республикасында дистрибьютор және өнім бойынша арыз-талаптарды
қабылдаушының өкілі «РДЦ-Алматы» ЖШС,
Алматы қ., Домбровский көш., 3«а», литер Б, офис 1.
Тел.: 8 (727) 251-59-90/91/92; E-mail: RDC-Almaty@eksmo.kz
Өнімнің жарамдылық мерзімі шектелмеген.
Сертификация туралы ақпарат сайтта: www.eksmo.ru/certification
Сведения о подтверждении соответствия издания согласно законодательству РФ
о техническом регулировании можно получить на сайте Издательства «Эксмо»
www.eksmo.ru/certification
Өндірген мемлекет: Ресей. Сертификация қарастырылмаған

16+

Подписано в печать 05.06.2019. Формат 80x100$^{1}/_{32}$.
Гарнитура «Arno Pro». Печать офсетная. Усл. печ. л. 19,26.
Доп. тираж 2000 экз. Заказ 5554.

Отпечатано с готовых файлов заказчика
в АО «Первая Образцовая типография»,
филиал «УЛЬЯНОВСКИЙ ДОМ ПЕЧАТИ»
432980, Россия, г. Ульяновск, ул. Гончарова, 14

ISBN 978-5-04-101036-2

9 785041 010362 >